À la bonne franquette

80 CHEFS QUÉBÉCOIS
DÉVOILENT LEURS RECETTES SIMPLES
DE TOUS LES JOURS

80 CHEFS DANS LEUR INTIMITÉ
10 INGRÉDIENTS, PAS PLUS
16 RÉGIONS ET LEURS TRÉSORS

80
chefs

Ils sont parmi les plus toqués de nos chefs, 80 têtes d'affiche des meilleurs restaurants, bistros et tables champêtres du Québec. Mais une fois qu'ils sont arrivés à la maison, avec pour seuls convives la petite famille ou les amis de passage, **à quoi ressemble leur table ?** Au fil de 80 recettes, plusieurs chefs nous font pénétrer dans l'intimité de leurs repas de tous les jours. D'autres rendent un hommage émouvant au petit plat qui a fait leur bonheur d'enfant. Et qui fera le nôtre, ultimement. À toutes ces toques en congé, merci de votre générosité à nous mettre ainsi en appétit.

10
ingrédients

Le défi était de taille… de petite taille. Qu'il s'agisse d'une recette héritée, d'une spécialité maison ou d'un plat improvisé, nos 80 chefs-vedettes ont reçu une seule consigne : leur recette ne devait pas exiger plus de 10 ingrédients. Avouons-le, deux ou trois esprits libres ont légèrement dépassé cette limite, mais la majorité a relevé le défi de la simplicité. Si bien que ce livre unique en son genre vous propose **80 recettes prêtes en 2 temps, 3 mouvements,** avec des ingrédients qui sont à la portée de tous les apprentis cordons-bleus. Et comme vous le constaterez, moins d'ingrédients ne veut pas dire moins d'originalité.

16
régions

Le terroir du Québec a le vent dans les voiles. Des Îles-de-la-Madeleine à l'Abitibi-Témiscamingue, les artisans d'ici jouent d'audace pour (re)mettre en valeur les produits d'antan ou de nouvelles cultures prometteuses. Divisé en 16 régions agrotouristiques, ce livre vous invite à prendre la route et à suivre votre estomac, de circuits gourmands en spécialités du terroir, présentés ici en mots, en images et en coups de cœur. N'oubliez pas de visiter les établissements de nos 80 toques pour y savourer leur table et leur talent. On vous promet un détour mémorable.

29
24
56
42

{Table des matières}

ABITIBI-TÉMISCAMINGUE ... 16

Crème d'oignons caramélisés à la bière Taïga ... 20
Yves Moreau, Hôtel Forestel

Mignon de porc aux pommes ... 22
Audrey McFadden, Chez Eugène

Bec sucré à Pépère ... 24
Guylaine Lampron, Aux Agapes

BAS-SAINT-LAURENT ET CÔTE-NORD ... 26

Petits farcis à l'agneau et au tournesol ... 30
Colombe St-Pierre, Chez Saint-Pierre

Chaudrée de fruits de mer ... 32
Hugues Massey, Auberge du Chemin Faisant

Saumon mariné à l'érable et à l'aneth ... 34
Manon Lévesque, Le Saint-Patrice

Gâteau aux dattes de madame Talbot, version 1964 ... 36
Marie-Sophie Picard, Auberge du Mange Grenouille

CANTONS-DE-L'EST ... 38

Potage minute à la citrouille de ma grand-mère ... 42
Mélanie Gagnon, Auberge Sainte-Catherine-de-Hatley

Ceviche de pétoncles au lait de coco ... 44
Franklin Sanchez, Train touristique Orford Express

Le pain de viande de Jehane ... 46
Danny St-Pierre, Auguste

Mac & Cheese au lard et à l'huile de truffe ... 48
Laurent Godbout, Attelier Archibald

Sauté de poulet minute ... 50
Pier Normandeau, L'Œuf

Tarte à l'orange ... 52
Martine Satre, Le Temps des cerises

CENTRE-DU-QUÉBEC ... 54

Pizza déjeuner au canard fumé et au gratin de cheddar fort ... 58
Stéphane Hubert, Auberge Godefroy

Gaufres au zeste d'orange des enfants ... 60
Stéphane Martin, La Table dans les Nuages

Burgers de saucisse italienne ... 62
Charles Cloutier, Le Communard

Salade tiède de foies de volaille aux pommes et moutarde à l'ancienne ... 64
Hugo Joannette, Manoir du lac William

CHARLEVOIX ... 66

Croustade de magret de canard au Migneron ... 70
Patrick Fregni, Au 51

Ma recette de bines ... 72
Mario Chabot, Auberge des 3 canards

Côte de porc braisée et sa fondue de poireaux au fromage 1608 ... 74
Jean-Michel Breton, Fairmont Le Manoir Richelieu

Ma souris d'agneau et sa laque d'épices douces ... 76
Régis Hervé, Les Saveurs Oubliées

Sucettes au chocolat au lait et au thé chai ... 78
Jean-François Bélair, Auberge La Pinsonnière

CHAUDIÈRE-APPALACHES ... 80

Croustillant de légumes marinés au Galarneau ... 84
Patrick Gonfond, La Coureuse des Grèves

Gratin de courgettes farcies au porc ... 86
Olivier Raffestin, Auberge des Glacis

Cari de poulet à la noix de coco ... 88
Pascal Gagnon, Manoir de Tilly

Pouding au chocolat de maman ... 90
Frédéric Cyr, Manoir des Érables

Beurre de pomme, vanille et cidre de glace ... 92
Sébastien Nègre, Chez Octave

144
150
147
96

GASPÉSIE 94

Short ribs de bœuf, style bistro 98
Desmond Ogden, La Maison William Wakeham

Poulet farci aux asperges et au fromage oka, crème de pesto 100
Stéphane Thériault, Auberge Beauséjour

Salade d'hiver 102
Daniel Gasse, La Broue dans l'Toupet

GRAND MONTRÉAL 104

Tartines aux œufs pochés, saumon fumé et beurre de truffe 108
Richard Bastien, Le Mitoyen

Soupe de panais à la clémentine 110
François Labrecque, Les Menus-Plaisirs

Galettes à Anette 112
Jean-François Cormier, Bistro Bienville

Salade de sardines, façon tapas 114
Marie-Fleur St-Pierre, Tapeo

Lapin à la napolitaine 116
Giovanni Apollo, Bistro Apollo Concept

Rillettes de crabe des neiges, mayonnaise à l'huile d'olive et au piri-piri 118
Helena Loureiro, Portus Calle

Escalope de bœuf panée, sauce chipotle et purée de pommes de terre 120
Alonso Ortiz, Pintxo

Filets de bœuf à la japonaise 122
Benoit Hogue, La Brigade volante

Mon jarret de bœuf 12 heures 124
Marc-André Royal, Le St-Urbain

Salade de fraises et son crémeux de yogourt au chocolat blanc 126
Patrice Demers, Newtown

GRAND QUÉBEC 128

Médaillons de veau et leur sauce au gingembre 132
Jean Soulard, Le Château Frontenac

Pavé de saumon à la vapeur de pesto, poêlée de champignons et d'épinards à la crème de parmesan 134
Jean-Luc Boulay, Le Saint-Amour

Salade de saumon fumé à la méditerranéenne 136
Jean-François Houde, Aviatic Club

Rôti de longe de porc et maïs en crème 138
David Forbes, Le Cercle

Cassoulet ardéchois 140
Guillaume Barry, Le Moine Échanson

Carré d'agneau au bleu et au porto sur le barbecue 142
Sylvain Lambert, Le Bistango

Gâteau à la rhubarbe et à l'érable 144
Mathieu Brisson, Bistrot Le Clocher penché

Sucre à la crème style cabane 146
Martin Gagné, Hôtel-Musée Premières Nations

Smoothie de fruits à la menthe 148
Philip Rae, Le Canard huppé

ÎLES-DE-LA-MADELEINE 150

Pâtes fraîches au foie gras, aux chanterelles et à la Tomme des Demoiselles 154
Johanne Vigneault, La Table des Roy

Galettes à la morue 156
Luc Jomphe, Bistro du bout du monde

Pâtes à la jardinière de pétoncles 158
Francine Pelletier, Auberge Chez Denis à François

172
214
234

177

LANAUDIÈRE 160

Salade composée au fromage frais 164
Nancy Hinton, La Table des Jardins sauvages

Pâtes au gratin de maman 166
Amélie Dumas, Auberge du lac Taureau

Linguines à la betterave 168
Mathieu Carpentier, Matize

Suprême de poulet à l'érable et au cidre de glace 170
Yves Marcoux, Auberge du Vieux-Moulin

Bodding de Vivi 172
Geneviève Longère, Le Relais Champêtre

LAURENTIDES 174

Pintade rôtie aux champignons, sauce au vin rouge et purée de pommes de terre 178
Emmanuel R. Desjardins, L'Eau à la bouche

Poulet chasseur des Pyrénées 180
Patrick Bermand, Restaurant Patrick Bermand

Gnocchi della Zia Lina 182
Raphaël Martellotti, Le Raphaël

Pâtes fraîches maison et légumes primeurs 184
François Daoust, Auberge La Tour du Lac

MAURICIE 186

Pâté aux pommes de terre 190
Patrick Gérôme, Auberge Le Baluchon

Tartare de saumon de l'Atlantique à saveur d'érable 192
Alain Penot, Auberge du lac Saint-Pierre

Œufs sur le plat aux tomates 194
Franck Richard, Les Caprices de Fanny

Petit sandwich de pétoncles et fraises 196
José Pierre Durand, Poivre Noir

Gâteau aux noix de mon enfance 198
Franck Chaumanet, Micro-brasserie Le Trou du Diable

MONTÉRÉGIE 200

Ceviche de tilapia 204
Maxime Durand, L'Incrédule

Tomates farcies du paternel 206
Norbert Boully, Le Jozéphil

Navarin de canard à l'érable 208
François Pellerin, Le Garde-manger de François

Sauce gourmande au caramel 210
Sophie Morneau, Les Gourmandises de Sophie

Relish aux poivrons rouges 212
Pierre-André Brassard, Fourquet-Fourchette

OUTAOUAIS 214

Tarte à la tomate 218
Romain Riva, Auberge Le Moulin Wakefield

Confit de canard et sa salade au fromage de chèvre et aux canneberges 220
Charles Part, Les Fougères

Poulet rôti aux légumes 222
Gérard Fischer, Le Tartuffe

Escalope de foie gras de canard poêlée, compote de prunes et tuile balsamique 224
Serge Jost, Fairmont Le Château Montebello

Popcorn à l'érable et à la fleur de sel 226
Jean-Claude Chartrand, L'Orée du Bois

SAGUENAY–LAC-SAINT-JEAN 228

Grilled cheese au thon et au fromage Valbert 232
Michel Daigle, Le Bergerac

Moules à la bière d'abbaye 234
Éric Grosjean, Bistrot Boris & Biscotti

Cretonnade de tofu 236
David Rousseau, La Cuisine

Gâteau au yaourt de mamie Pachon 238
Daniel Pachon, Auberge Villa Pachon

Foire gourmande à Ville-Marie

Cinquante kiosques, un chapiteau, des spectacles et des soupers gastronomiques dans le sous-sol de l'église : en août, la Foire gourmande de l'Abitibi-Témiscamingue et du Nord-Est ontarien attire les amoureux du terroir.

La Route du terroir La Motte

Ce circuit de huit kilomètres vous fait visiter une centaine de kiosques de produits locaux, où il est possible de savourer des mets du pays dans un décor bucolique à souhait.

Salon des vins, bières et spiritueux

À la mi-octobre, les passionnés de bons vins et de bonnes bières accourent à Val-d'Or pour des colloques d'experts et des dégustations de produits gourmets locaux bien arrosées.

{Abitibi-Témiscamingue}

Contrée de chasse et de pêche, l'Abitibi-Témiscamingue conjugue le terroir de multiples façons. On s'y passionne pour les petits fruits (volontiers transformés en alcools fins), les eaux de source et les bières tirées des eskers locaux, le miel et, bien sûr, le sirop d'érable ! Avis aux amateurs : voici le paradis de la pourvoirie.

Les confitures de La Fraisonnée, à Clerval

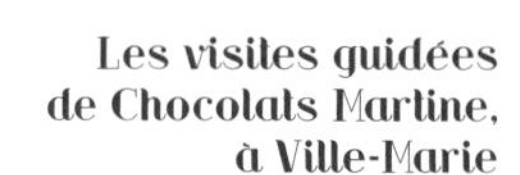

Les visites guidées de Chocolats Martine, à Ville-Marie

La gelée de pommettes du Verger de l'Île Nepawa, à Sainte-Hélène-de-Mancebourg

FOUS DU FROMAGE

En Abitibi-Témiscamingue, la Route des fromages fins du Québec ne fait que deux arrêts, mais quels arrêts ! À la Fromagerie La Vache à Maillotte de La Sarre, les amateurs peuvent déguster des fromages artisanaux aux noms évocateurs : Allegretto, Fredondaine, Farandole, Sonatine. À la Fromagerie Fromage au village de Lorrainville, le Cru du clocher se prête à d'étonnantes fondues – parole de Guylaine Lampron, dont le restaurant Aux Agapes a remporté le Grand Prix du tourisme régional 2010.

PETITS FRUITS EN FOLIE

Cerises-prunes, cassis, groseilles, gadelles, baies de sureau, raisins rustiques, bleuets sauvages : l'Abitibi-Témiscamingue regorge de petits fruits, que d'aventureux producteurs transforment à volonté. Au Verger des Tourterelles de Duhamel-Ouest, les mistelles de petits fruits font le bonheur des chefs locaux. Chez Cassiro, combinant un gîte à Taschereau et une plantation à Roquemaure, on transforme le cassis en gelée, sirop, tartinade ou vinaigre. Quant aux nez fins de NordVie à Saint-Bruno-de-Guigues, ils concoctent des mistelles primées à la Coupe des Nations de Québec. Leurs fraises sont aussi proposées en autocueillette et, bien sûr, en apéritif.

AU GRENIER DES SAVEURS

Pour découvrir un éventail de produits régionaux, on visite cette boucherie-charcuterie de Val-d'Or, qui fait ses propres jambons... et le bonheur des amateurs de plein air avec un bœuf jerky artisanal à déguster en forêt ou sur un lac.

DE BIÈRE ET D'EAU FRAÎCHE

En 2001, dans le cadre d'une compétition internationale, l'eau d'Amos était sacrée « meilleure eau au monde ». Cristalline, elle doit son équilibre parfait à l'esker de Saint-Mathieu–Lac-Berry, qui coule sur plus de 100 kilomètres dans une forêt vierge protégée. Filtrée par les roches glaciaires, cette eau est plus transparente, froide et pure. Vous ne vivez pas à Amos ? Qu'à cela ne tienne : sachez que vous savourez cette eau chaque fois que vous sirotez une bière Taïga ou une bouteille d'eau de source Eska, deux produits québécois qui font honneur à la région.

Coup de cœur

LA BIÈRE TAÏGA, brassée à partir d'eau de l'esker de Saint-Mathieu-Lac-Berry, une des meilleures eaux au monde.

YVES MOREAU

Figure dominante sur la scène régionale, ce chef est l'un des artisans du livre *Tout l'monde à table,* qui célèbre l'Abitibi-Témiscamingue.

DÉCOUVREZ SA CUISINE ICI

Hôtel Forestel
1001, 3e Avenue Est, à Val-d'Or

Le Bistro du Forestel propose une cuisine à base de produits régionaux déclinés au fil des saisons.

J'affectionne particulièrement cette soupe. Accompagnez-la de grands croûtons de baguette, gratinés avec un bon cheddar comme le Cru du clocher. Vous ferez un malheur !

Crème d'oignons caramélisés à la bière Taïga

{8 portions • Préparation : 10 min • Cuisson : 30 min}

3 c. à tab	beurre salé	45 ml
8	oignons moyens, émincés	8
1	gousse d'ail, émincée	1
1/4 t	miel de trèfle	60 ml
1	bière Taïga	1
6 t	fond de volaille	1,5 L
1 3/4 lb	pommes de terre, pelées et émincées (variété Gold Rush, par exemple)	800 g
2	branches de thym	2
1	feuille de laurier	1
1/2 t	crème 35 % M.G.	125 ml
	sel et poivre noir frais moulu	

{1} Dans une casserole à fond épais, faire chauffer le beurre à feu moyen. Ajouter les oignons et l'ail, puis faire caraméliser. {2} Incorporer le miel et laisser caraméliser encore quelques minutes. Saler et poivrer. {3} Déglacer avec la bière, en raclant bien le fond de la casserole. {4} Ajouter le fond de volaille, les pommes de terre, le thym et le laurier. Faire mijoter jusqu'à ce que les pommes de terre soient bien cuites. {5} Retirer les herbes et passer le tout au mélangeur. {6} Reverser la soupe dans la casserole, ajouter la crème et chauffer sans laisser bouillir. Rectifier l'assaisonnement et servir bien chaud.

J'ai une « dent sucrée ». Alors, dès que je peux ajouter un fruit à un plat ou servir une délicate sauce à base de miel, je le fais ! Cette recette sans prétention me permet de me régaler rapidement. Mes invités l'adorent aussi.

Mignon de porc aux pommes

{2 portions • Préparation : 5 min • Cuisson : 10 min}

1	sachet de sauce au poivre du commerce	1
1	filet de porc	1
1 c. à tab	beurre	15 ml
2 c. à tab	vin blanc (facultatif)	30 ml
1/2 t	crème 35 % M.G.	125 ml
1	pomme, tranchée	1
1 oz	fromage Cru du clocher ou cheddar fort, au choix	30 g

{1} Préparer la sauce au poivre selon le mode d'emploi sur l'emballage et réserver au chaud. {2} Couper le filet de porc en tranches de 1 cm (1/3 po) d'épaisseur. {3} Dans une poêle sur feu moyen, faire fondre le beurre et y faire sauter les tranches de porc 3 minutes ou jusqu'à coloration dorée. {4} Déglacer avec le vin blanc, si désiré (ou si la viande a collé à la poêle). {5} Ajouter 375 ml (1 1/2 t) de la sauce au poivre, la crème et les tranches de pomme, puis laisser mijoter 2 minutes. {6} Râper le fromage ou le couper en cubes, l'ajouter à la sauce et le laisser fondre. Servir aussitôt.

AUDREY McFADDEN

Cette chef avait à peine 20 ans lorsqu'elle a acheté son resto. Elle en a fait la meilleure table en ville.

DÉCOUVREZ SA CUISINE ICI

Chez Eugène
8, rue Notre-Dame Nord,
à Ville-Marie

Établi dans une magnifique maison ancestrale, Chez Eugène fait face au lac Témiscamingue. On vous recommande le porche, sous une doudou...

Coup de cœur
LA REBELLE AUX FRAMBOISES ET AUX GROSEILLES, un alcool fin de type mistelle du Verger des Tourterelles.

Coup de cœur

LE SIROP D'ÉRABLE DU TÉMISCAMINGUE, **important producteur du liquide ambré.**

GUYLAINE
LAMPRON

Autodidacte, cette créative aux fourneaux a ouvert le restaurant Aux Agapes en 2007 pour mieux goûter la féerie du bord de l'eau.

DÉCOUVREZ
SA CUISINE ICI

Restaurant Aux Agapes
480, chemin de la Gap,
à Notre-Dame-du-Nord

Grand Prix du tourisme québécois, Aux Agapes accueille et réconforte ses invités avec ses fondues et raclettes.

C'est mon grand-père, qui était cuisinier de chantier à l'époque de la drave sur le lac Témiscamingue, dans les années 40, qui m'a inspiré cette recette. Dans le temps, les travailleurs attendaient impatiemment le samedi pour déguster ses œufs dans le sirop d'érable !

Bec sucré à Pépère

{2 portions • Préparation : 15 min • Cuisson : 15 min}

1	baguette de pain dur (plus dur le pain, meilleur le résultat)	1
3	œufs moyens	3
1 t	lait 2 %	250 ml
1 t	sirop d'érable	250 ml
1/4 c. à thé	myrique baumier*	1 ml
2	noix de beurre	2

* Aromate sauvage du Québec, le myrique baumier peut être remplacé par de la muscade.

Pain doré

{1} Couper la baguette en tranches de 1 cm (1/3 po) d'épaisseur et réserver. {2} Dans un plat creux, combiner 1 œuf, le lait, 15 ml (1 c. à tab) de sirop d'érable et le myrique baumier, en fouettant vigoureusement. {3} Y tremper les tranches de pain en les retournant pour bien les imbiber. Vous les voulez bien mouillées. {4} Dans un poêlon, faire fondre 1 noix de beurre. Y faire dorer les tranches de pain de chaque côté jusqu'à consistance ferme et coloration bien bronzée. Réserver.

Œufs pochés dans le sirop

{5} Dans un poêlon, en fonte si possible, verser le reste du sirop d'érable. Ajouter le reste du beurre et chauffer doucement. {6} Lorsque le sirop frémit légèrement, y casser les œufs restants en prenant soin de ne pas crever les jaunes. {7} Porter le tout à ébullition et faire bouillir jusqu'à ce que le sirop recouvre les œufs, quelques secondes ou plus, selon la cuisson désirée. {8} Transférer les œufs pochés et leur sirop dans deux bols. Accompagner du pain doré pour y faire trempette.

Marchés publics

La meilleure façon de découvrir les producteurs locaux ? Passez les rencontrer dans les divers marchés publics ouverts durant l'été, dont ceux de Rimouski, du Quai de Trois-Pistoles et de La Mitis.

Circuit La Nature aux mille délices

De Port-Cartier à Sept-Îles, on suit ce circuit de restaurateurs, de producteurs, de fermes d'autocueillette, etc. Aussi au programme, de multiples festivals qui célèbrent fruits de mer, framboises et bleuets.

La Route des bières de l'est du Québec

Six brasseries du Bas-Saint-Laurent, de la Gaspésie et des Îles-de-la-Madeleine vous reçoivent avec des bières concoctées à même les saveurs du terroir. On prend aussi plaisir à se rincer l'œil, certaines ayant vue sur la mer.

{Bas-Saint-Laurent et Côte-Nord}

Dans le Bas-Saint-Laurent et la Côte-Nord, les poissons sont tout simplement exquis ! Les papilles aventureuses voudront aussi y découvrir bières artisanales, fromages fermiers, fruits sauvages (allô la chicoutai !), algues comestibles, wapiti et compagnie. On visite ?

Chicoutai

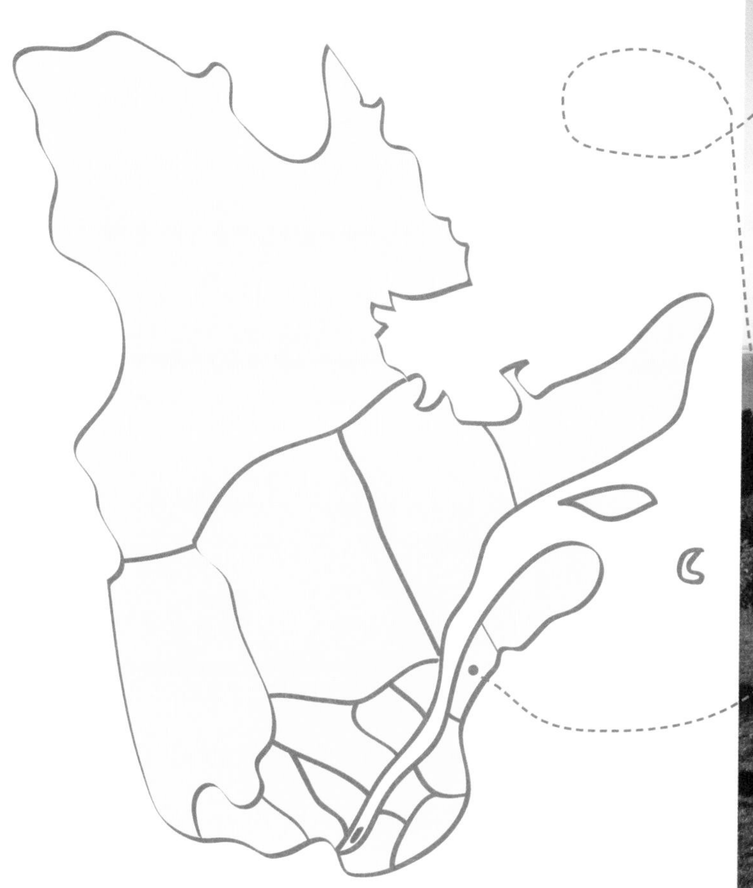

Les visites du Verger La Maison de la prune, à Saint-André

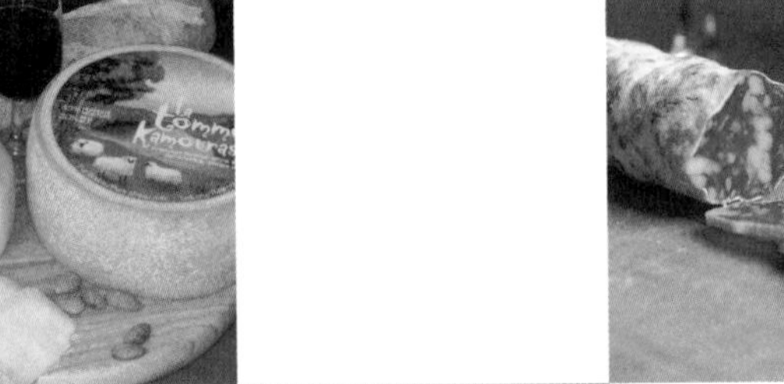

La Tomme de Kamouraska de la Fromagerie Le Mouton blanc, à La Pocatière

Le porc artisanal de Fou du cochon et Scie, à La Pocatière

Les vins aromatisés aux petits fruits du Vignoble La Marée montante, à Saint-Alexandre-de-Portneuf

DU FLEUVE À VOTRE TABLE

Avec un tel littoral, pas surprenant que le Bas-Saint-Laurent et la Côte-Nord soient associés de si près aux délices maritimes. On y pêche le crabe des neiges, les crevettes nordiques (appelées « crevettes de Matane »), l'omble chevalier, le saumon de l'Atlantique en visite et une multitude d'autres espèces. D'août à décembre, l'anguille remonte le Saint-Laurent dans sa migration entre les Bermudes et le Groenland, un bonheur pour les pêcheurs. Enfin, pour un plateau de fruits de mer qui sort de l'ordinaire, pensez aux autres espèces et aux mollusques qui se pêchent ou s'achètent ici, comme l'oursin, le couteau de mer, la mactre de Stimpson, le bigorneau ou le buccin.

Salicorne

HERBES AU GOÛT DE SEL

Sur les battures du Saint-Laurent, un véritable jardin de plantes de mer attend les curieux : épinard de mer, pourpier des plages, chou poivré des dunes… On peut également y cueillir des algues comme le petit goémon et le kombu. Plus connue, la salicorne, ou patte d'alouette, a des amateurs à mille lieues d'ici, trouvant sa place chez de fins maraîchers. Mais attention, certaines plantes étant toxiques, mieux vaut être accompagné d'un guide local ou suivre un atelier des Jardins de la mer à Saint-André. À découvrir également : les Herbes salées du Bas-du-Fleuve, produites à Sainte-Flavie, qui sont en fait un mélange d'herbes et de plantes potagères courantes ayant macéré dans le sel. Un produit unique au Québec qui assaisonne agréablement plats et vinaigrettes maison.

BALADE GOURMANDE EN FORÊT

Une traditionnelle balade en forêt vous intéresse davantage ? Celle offerte par la Coopérative Les BIOproduits de Sainte-Rita pourrait vous surprendre. On y apprend à cueillir les plantes sauvages comestibles, les fleurs, les quenouilles, le thé du Labrador et les champignons forestiers. Les BIOproduits peuvent aussi être achetés séchés, moulus ou embouteillés dans les marchés publics ou à la ferme de Sainte-Rita. Ici, comme au Lac-Saint-Jean, on s'intéresse à la camerise, le fruit comestible du chèvrefeuille, qui ressemble à un long bleuet et serait, de l'avis d'experts, le prochain petit fruit à séduire les Québécois.

Coup de cœur

LES FINES COCHONNAILLES BIO DE FOU DU COCHON **à La Pocatière, la « capitale nationale » du saucisson sec.**

COLOMBE ST-PIERRE

Cette chef a travaillé partout dans le monde avant de revenir dans son village natal du Bic.

DÉCOUVREZ SA CUISINE ICI

Restaurant Chez Saint-Pierre
129, rue du Mont-Saint-Louis, au Bic

Chez Saint-Pierre Bistro-Pub
150, avenue de la Cathédrale, à Rimouski

Les deux endroits proposent une gastronomie régionale généreuse avec un soupçon d'extravagance.

Mon conjoint est né près de Nice, en France, terre des petits farcis. Cette recette santé est l'occasion rêvée de cuisiner en famille. Ma fille Jeanne aime d'ailleurs beaucoup mettre la farce dans les légumes… et un peu partout aussi !

Petits farcis à l'agneau et au tournesol

{6 portions • Préparation : 15 min • Cuisson : de 40 à 45 min}

1	aubergine	1
2	courgettes	2
2	tomates	2
2 t	agneau haché ou autre viande hachée, au choix	500 ml
1/2 t	graines de tournesol	125 ml
1 t	fromage cheddar fort, râpé	250 ml
4	gousses d'ail, hachées	4
2 c. à tab	herbes de Provence	30 ml
1	œuf	1
	sel et poivre noir frais moulu	

{1} Préchauffer le four à 180 °C (350 °F). {2} Couper l'aubergine et les courgettes en deux dans le sens de la longueur. Prélever le capuchon des tomates. {3} À l'aide d'une cuillère, vider les légumes de leur chair, en prenant soin de ne pas briser leur peau. {4} Au robot culinaire, hacher la chair des légumes, puis la transférer dans un grand bol. {5} Ajouter le reste des ingrédients, sauf les légumes évidés, et mélanger pour obtenir une farce homogène. Saler et poivrer au goût. {6} Disposer les légumes évidés sur une grande plaque à pâtisserie, puis les farcir généreusement. {7} Cuire au four de 40 à 45 minutes.

HUGUES MASSEY

Fils d'un chef de métier, cet autodidacte a travaillé dans le milieu de l'hôtellerie à Québec avant de devenir propriétaire de son auberge.

DÉCOUVREZ SA CUISINE ICI

Auberge du Chemin Faisant
12, rue du Vieux-Chemin,
à Cabano

Relais gourmand le plus primé de la région, l'auberge propose une cuisine artisanale.

Cette chaudrée est celle de mon père. J'en ai mangé tout au long de ma tendre enfance, chez nous, aux Îles-de-la-Madeleine. Pendant les premières années de l'auberge, elle a été le plat-vedette qui a contribué à faire connaître notre table.

Chaudrée de fruits de mer

{4 portions • Préparation : 10 min • Cuisson : 30 min}

2 t	pommes de terre, pelées et coupées en cubes	500 ml
1/4 t	beurre salé	60 ml
1	gros oignon espagnol, émincé	1
1/2 t	farine tout usage	125 ml
4 t	lait 2 %	1 L
1 lb	chair de homard cuite	500 g
1 lb	pétoncles crus	500 g
1 t	poivrons doux de couleurs mélangées, en brunoise (petits dés)	250 ml
1 c. à tab	thym séché	15 ml
	fleur d'ail (facultatif)	
	sel et poivre noir frais moulu	

{1} Dans une grande casserole d'eau bouillante salée, cuire les cubes de pomme de terre en s'assurant de leur conserver une certaine fermeté.

Chaudrée

{2} Entre-temps, dans une grande marmite, faire fondre le beurre à feu moyen-doux. Y faire suer l'oignon 5 minutes ou jusqu'à transparence, en évitant de le faire colorer. {3} Saupoudrer la farine et cuire encore 2 minutes sans la laisser se colorer. {4} Réduire le feu à doux et, en fouettant, incorporer le lait graduellement, pour éviter les grumeaux. Cuire jusqu'à ce que le mélange épaississe légèrement. {5} Égoutter les pommes de terre cuites et les ajouter au mélange de lait. {6} Augmenter le feu et réchauffer en remuant constamment, jusqu'à ce que la soupe soit bien chaude. {7} Retirer du feu, ajouter la chair de homard, les pétoncles, les poivrons et le thym. Saler et poivrer au goût. Ajouter la fleur d'ail, si désiré. {8} Avant de servir, laisser reposer quelques minutes, le temps que les pétoncles cuisent à peine dans la soupe. Vous pouvez servir cette chaudrée telle quelle ou garnie de croûtons, saupoudrés ou non de fromage râpé au choix.

Coup de cœur

LES POISSONS FUMÉS DU BAS-DU-FLEUVE, particulièrement l'anguille, qui a son centre de l'interprétation à Kamouraska.

Coup de cœur

LE CHARLES-AIMÉ ROBERT, **un acéritif de style porto à base de sève d'érable, produit par le Domaine Acer à Auclair.**

MANON LÉVESQUE

De Notre-Dame-du-Portage à Rivière-du-Loup, cette chef est restée fidèle au Bas-Saint-Laurent et à sa cuisine inspirée de la mer.

DÉCOUVREZ SA CUISINE ICI

Le Saint-Patrice
169, rue Fraser,
à Rivière-du-Loup

À proximité du Saint-Laurent, cette table de style continental est populaire entre autres pour son assiette du pêcheur.

J'ai ajouté mon grain de sel à cette recette de mon patron. Pour moi, elle représente la fraîcheur. J'aime la servir l'été, en entrée, à l'occasion d'un barbecue extérieur. Elle est simple et, surtout, se prépare à l'avance.

Saumon mariné à l'érable et à l'aneth

{De 4 à 6 portions • Préparation : 20 min • Macération : 24 h}

1 lb	filet de saumon sans la peau	500 g
1/2 t	sel de mer	125 ml
3 c. à tab	fumée liquide*	45 ml
1/4 t	sirop d'érable	60 ml
2 c. à tab	porto blanc ou porto à l'érable	30 ml
1/4 t	aneth frais, grossièrement haché	60 ml
	tranches de citron, pour la garniture	
	feuilles de laitue, pour la garniture	
	poivre noir frais moulu	

* La fumée liquide est vendue en bouteille dans la plupart des supermarchés.

{1} Déposer le filet de saumon dans un contenant de plastique profond, avec couvercle. {2} Combiner le sel de mer, la fumée liquide, le sirop d'érable et le porto pour obtenir une saumure. {3} Verser cette saumure sur les deux côtés du filet et recouvrir d'aneth. {4} Mettre le couvercle sur le contenant et réserver au réfrigérateur 24 heures, en retournant le filet à deux ou trois reprises. {5} Retirer le filet de la saumure et le couper en fines tranches. Poivrer. Servir accompagné de citron et de laitue.

Conservation : Le filet saumuré peut se conserver de 5 à 6 jours au réfrigérateur.

MARIE-SOPHIE PICARD

Après des années à bourlinguer dans les cuisines d'ici et de France, cette chef a posé ses bagages au Bic.

DÉCOUVREZ SA CUISINE ICI

Auberge du Mange Grenouille
148, rue Sainte-Cécile, au Bic

Aménagée dans un ancien magasin général, cette auberge romantique propose une grande table et une vue magnifique sur le Havre du Bic.

Ce gâteau est l'un des premiers que ma mère a appris à cuisiner et il fait encore partie de nos fêtes de famille, grandes et petites. Aujourd'hui, nous le servons à l'auberge accompagné de chèvre frais, de coulis d'orange et de glace aux épices.

Gâteau aux dattes de madame Talbot, version 1964

{10 portions • Préparation : 15 min • Cuisson : de 30 à 40 min}

1/2 t	beurre mou	125 ml
1 t	cassonade	250 ml
2	œufs	2
1 c. à thé	extrait de vanille	5 ml
1/2 t	eau	125 ml
1 1/2 t	farine tamisée	375 ml
1 c. à thé	bicarbonate de soude	5 ml
1/2 t	noix de Grenoble hachées	125 ml
2 t	dattes hachées	500 ml
	beurre et farine, pour le moule	

{1} Préchauffer le four à 180 °C (350 °F). {2} Dans un grand bol, à l'aide d'un batteur à main, défaire en crème le beurre et la cassonade. {3} Ajouter les œufs, l'extrait de vanille et l'eau. Bien mélanger. {4} En pluie, ajouter la farine et le bicarbonate de soude. Bien mélanger. {5} Ajouter les noix et les dattes, puis mélanger. {6} Beurrer et fariner un moule rectangulaire. Y verser la pâte à gâteau. {7} Cuire au four de 30 à 40 minutes. {8} Servir chaud ou froid, accompagné d'une ou deux boules de glace à la vanille.

{Cantons-de-l'Est}

Des fameux canards du lac Brome aux célèbres vignobles, en passant par les multiples fermes d'autocueillette — parmi les plus courues au Québec —, les Cantons-de-l'Est renferment des trésors de notre gourmandise collective. Des parcours en voiture et à vélo vous y feront découvrir richesses du terroir et superbes villages. Une région à savourer.

Abbaye de Saint-Benoît-du-Lac

Route des vins

Cette célèbre route de Brome-Missisquoi s'arrête dans quelque 17 vignobles et 12 bonnes tables, chez 19 producteurs agrotouristiques et même à l'Économusée de la vigne.

Fromages fins

La Route des fromages fins du Québec fait un détour ici aussi. Au total, huit fromageries, dont l'Abbaye de Saint-Benoît-du-Lac, vous invitent à goûter leurs produits.

Fêtes gourmandes

Au-delà des nombreux circuits agrotouristiques, plusieurs événements vous convient à la dégustation, dont La Clé des champs de Dunham, la Fête du chocolat de Bromont et les Comptonales.

Le cidre de glace de son inventeur, le Clos Saragnat, à Frelighsburg

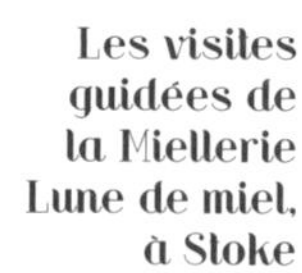

Les visites guidées de la Miellerie Lune de miel, à Stoke

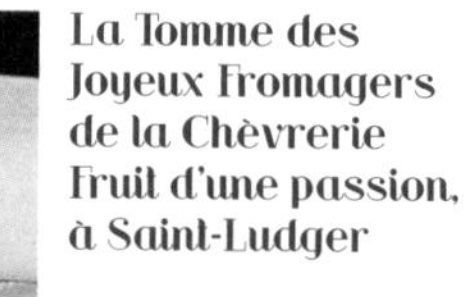

La Tomme des Joyeux Fromagers de la Chèvrerie Fruit d'une passion, à Saint-Ludger

Le Vignoble de la Chapelle Sainte-Agnès, à Sutton

VIVE LE VIN

C'est dans la contrée de Brome-Missisquoi, où un microclimat favorise la culture de la vigne, que les premiers grands vignobles du Québec ont poussé, au début des années 80. Les 17 vignobles qui jalonnent la Route des vins produisent vins rouges, blancs et rosés, ainsi que vins de glace et portos. La Route des vins propose aussi un menu complet d'activités agrotouristiques : visites à la ferme, produits du terroir, pique-niques, musées et ateliers d'artistes, bonnes tables et auberges champêtres. À noter : une fois l'an, début juillet, certains vignobles offrent un verre de vin gratuit, accompagné d'un fromage du terroir, au cours d'une fin de semaine portes ouvertes. Et si vous rêvez de fouler des raisins, réservez un week-end au début de septembre pour la célèbre Fête des vendanges Magog-Orford.

JE T'AIME, MON CANARD

L'arrivée de l'automne signale le retour de Canard en fête à Lac-Brome, l'un des festivals qui font courir les gastronomes de tout poil. Pour l'occasion, le village de Knowlton se transforme en une foire champêtre à ciel ouvert. Des dizaines d'exposants viennent y présenter du canard, bien sûr, mais aussi les produits du terroir régional : gibier, produits de l'érable, pâtisseries, chocolats et compagnie. Aussi au menu, des démonstrations culinaires de grands chefs, des spectacles, des promenades en carriole, etc. Le dernier dimanche, un millier de canards en plastique sont lâchés dans le ruisseau Coldbrook pour une course palpitante. Rappelons que la région abrite l'élevage de canards de Pékin le plus ancien au Canada, les Canards du Lac Brome. À la boutique, on peut acheter canards, confits, pâtés, saucisses et gras de canard fondu.

PARFUMS DE LAVANDE

Au revoir, la Provence ! Pour se balader dans une oasis de lavande, un petit détour par les Cantons-de-l'Est suffit. Là, les fermes Bleu Lavande et Joie de Lavande reçoivent les visiteurs, qui sont invités à se promener dans les champs pour y humer le bouleversant parfum. Il est aussi possible d'y pique-niquer, d'explorer la science de la lavande dans un centre d'interprétation interactif et d'acheter des plants et des produits gourmands : bonbons, chocolats, gelées, miel... Saviez-vous que la lavande se cuisine à merveille et rehausse crèmes glacées, crèmes brûlées, potages, salades, poissons et marinades ? Profitez de votre passage durant la période de floraison, généralement de juin à août, pour découvrir les aromates de lavande et tester votre sens de l'aventure culinaire.

Fromagerie des Cantons de Farnham

Cette recette de ma grand-mère nous réchauffait à l'automne, quand on préparait le terrain pour l'hiver. Aujourd'hui, j'y ajoute un verre (ou deux !) de vin apéritif Fleur de Lys du Vignoble Le Cep d'argent en même temps que le bouillon. Un pur régal.

MÉLANIE GAGNON

La « chef santé » de l'année 2007 au Québec aime les combinaisons goûteuses alliant la cuisine internationale aux produits d'ici.

Potage minute à la citrouille de ma grand-mère

{6 portions • Préparation : 5 min • Cuisson : 40 min}

1 t	purée de citrouille maison ou du commerce	250 ml
3 t	bouillon de poulet	750 ml
1 t	pommes de terre, pelées, cuites et écrasées à la fourchette	250 ml
1	oignon moyen, émincé	1
2/3 t	lait concentré	160 ml
	persil frais, haché, au goût	
	quelques copeaux de fromage Comtomme (facultatif)	
	tranches de baguette	
6 c. à tab	confit d'oignons au porto du commerce	90 ml
	sel et poivre noir frais moulu	

{1} Dans une grande casserole, verser la purée de citrouille et le bouillon, ajouter les pommes de terre et l'oignon. Faire mijoter environ 15 minutes. {2} Ajouter le lait concentré et chauffer jusqu'à ébullition. {3} Assaisonner et parsemer généreusement de persil. {4} Garnir de copeaux de fromage, si désiré. {5} Pour servir, accompagner de tranches de baguette tartinées de confit d'oignons.

DÉCOUVREZ SA CUISINE ICI

Restaurant et Auberge Sainte-Catherine-de-Hatley

2, La Grand-Rue, à Sainte-Catherine-de-Hatley

Avec sa vue imprenable sur le mont Orford, voici une auberge où les plats raffinés ont un petit goût de « r'venez-y ».

Coup de cœur
LE CONFIT
D'OIGNONS
AU PORTO NANY'S
DE PROJAM,
un produit bien
de l'Estrie, raffiné
et délicat.

FRANKLIN SANCHEZ

Originaire de la République dominicaine, ce chef a aussi travaillé pour un autre Express : le célèbre resto de Montréal.

DÉCOUVREZ SA CUISINE ICI

Train touristique Orford Express
Marché de la Gare,
720, rue Minto, à Sherbrooke

Avec ses trois voitures-restaurants, l'Orford Express sillonne les paysages de l'Estrie pendant que vous savourez sa fine cuisine.

Une recette rapide et savoureuse qui plaira à tout coup. Elle évoque les saveurs de mon enfance, quand nous préparions le ceviche en famille et le savourions AVANT de passer à table.

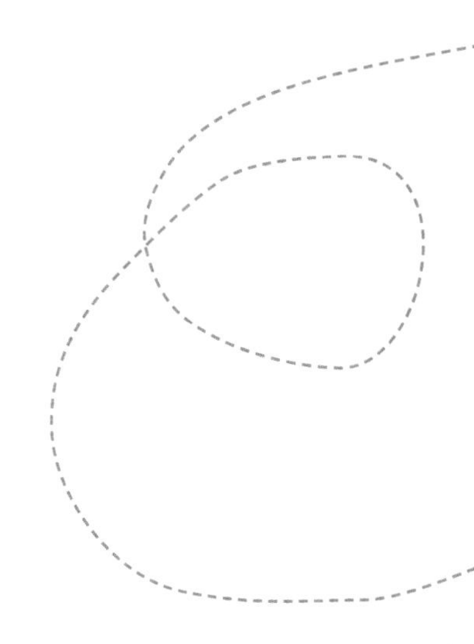

Ceviche de pétoncles au lait de coco

{6 portions • Préparation : 10 min • Macération : 10 min}

8	gros pétoncles	8
	le jus de 3 limes	
1	poivron rouge, émincé finement	1
2	tomates, émincées finement	2
1/4 t	huile d'olive	60 ml
1 c. à tab	gingembre frais, haché	15 ml
1/2 t	lait de coco	125 ml
3 c. à tab	coriandre fraîche, hachée	45 ml
	croustilles de maïs, pour servir	
	sel et poivre noir frais moulu	

{1} Émincer les pétoncles en fines rondelles et les déposer dans un petit bol. {2} Arroser du jus de lime et laisser macérer 10 minutes à la température ambiante. {3} Ajouter le reste des ingrédients sauf les croustilles et mélanger. Servir aussitôt, accompagné de croustilles.

Papa d'une fillette de trois ans, je me fais un devoir de « cuisiner traditionnel » pour qu'elle connaisse le bonheur de nos tablées québécoises. Réexplorer les classiques simples et réconfortants, comme cette recette de Jehane Benoit, me parle vraiment.

Le pain de viande de Jehane

{4 portions • Préparation : 30 min • Cuisson : 1 h}

Le pain de viande

1 t	lait	250 ml
3/4 t	chapelure	180 ml
2	œufs, battus	2
1 1/2 lb	bœuf haché mi-maigre	750 g
1/2 t	oignon, haché	125 ml
1 c. à thé	sel	5 ml
1/4 c. à thé	poivre noir frais moulu	1 ml
10	tranches de bacon	10

Sa laque

3 c. à tab	cassonade	45 ml
1/4 t	ketchup	60 ml
1/4 c. à thé	muscade	1 ml
1 c. à thé	moutarde en poudre	5 ml

{1} Préchauffer le four à 180 °C (350 °F). {2} Dans un bol, combiner le lait avec la chapelure et laisser tremper 15 minutes. {3} Ajouter tous les autres ingrédients du pain de viande, sauf le bacon, et bien mélanger. {4} Tapisser un moule à pain de bacon en laissant dépasser les tranches de chaque côté. {5} Verser le mélange de bœuf dans le moule et replier les tranches de bacon sur le dessus. {6} Démouler le pain de viande en le retournant dans une assiette. Le remettre dans le moule avec la « couture » de bacon en dessous. {7} Dans un bol, combiner les ingrédients de la laque. Verser sur le pain de viande et cuire au four 1 heure. {8} Servir avec une purée de pommes de terre au beurre, des haricots verts et, si désiré, un jus de viande.

DANNY ST-PIERRE

Après des passages remarqués aux restos Toqué !, Derrière les fagots et Laloux, ce chef-vedette ouvre son restaurant rêvé à Sherbrooke.

DÉCOUVREZ SA CUISINE ICI

Auguste
82, rue Wellington Nord, à Sherbrooke

Rencontre entre la cuisine de bûcherons et la gastronomie française, Auguste propose une cuisine sans prétention préparée avec amour.

Coup de cœur

LA NOUVELLE ENCYCLOPÉDIE DE CUISINE DE MADAME JEHANE BENOIT, **édition de luxe 1981, bourrée de trucs de grand-mère.**

J'aime revisiter les classiques gourmands québécois, rendre hommage au *comfort food* de nos grands-mères qui régale l'âme – comme ce macaroni au fromage en quelques ingrédients, actualisé grâce à sa touche de truffe et de fleur de sel.

LAURENT GODBOUT

Mac & Cheese au lard et à l'huile de truffe

{6 portions • Préparation : 25 min • Cuisson : 10 min}

10	tranches épaisses de bacon, coupées en dés	10
1 t	champignons blancs, coupés en dés	250 ml
1/4 t	oignons verts, ciselés finement	60 ml
2 1/4 t	macaronis cuits, encore chauds (250 ml/1 t non cuits)	560 ml
1/3 t	fromage à tartiner (de style Cheez Whiz)	80 ml
1/2 t	fromage cheddar jaune, râpé finement	125 ml
2 c. à tab	huile de truffe	30 ml
	poivre noir frais moulu et fleur de sel	

{1} Dans une poêle bien chaude, à feu moyen-élevé, cuire les dés de bacon environ 3 minutes. {2} Ajouter les champignons et les oignons verts, puis poursuivre la cuisson quelques minutes, le temps que les champignons soient cuits. {3} Ajouter les macaronis cuits et les fromages, mélanger pour bien incorporer et faire fondre les fromages. Poivrer au goût. {4} Verser le tout dans un grand bol de service, assaisonner d'huile de truffe et d'un peu de fleur de sel. Servir aussitôt.

Alchimiste des saveurs, ce chef proprio a fait les Relais & Châteaux avant d'ouvrir le premier resto qui a fait sa marque, Chez l'Épicier, dans le Vieux-Montréal.

DÉCOUVREZ SA CUISINE ICI

Attelier Archibald
150, rue Saint-Jacques, à Granby

Restaurant de cuisine ouvrière, l'Attelier propose une table décoiffée avec une option Supersize Me. Apportez votre faim !

PIER NORMANDEAU

Chocolatier émérite, ce chef cuisinier est propriétaire de son restaurant de l'Estrie depuis 1978.

DÉCOUVREZ SA CUISINE ICI

L'Œuf
229, chemin Mystic,
à Mystic

Ancien magasin général de 1860 restauré à l'ancienne, ce restaurant-chocolaterie-auberge est un must des randonneurs à vélo.

À force de cuisiner toute la journée, un chef aime « se la faire facile » une fois à la maison. Petit plat vraiment de tous les jours, ce sauté pour une personne est prêt en 20 minutes. Et puis, qui n'aime pas le poulet ?

Sauté de poulet minute

{1 portion • Préparation : 5 min • Cuisson : 15 min}

1 c. à tab	huile d'olive	15 ml
1	quartier d'oignon moyen, haché	1
1	poitrine de poulet, sans la peau, coupée en cubes	1
1	poignée de champignons au choix, émincés	1
	thym frais, haché	
1/4 t	vin blanc ou bouillon de poulet	60 ml
1/4 t	crème 15 % M.G. ou 35 % M.G., au choix	60 ml
	sel et poivre noir frais moulu	

{1} Dans une poêle, chauffer l'huile et y faire revenir l'oignon. {2} Ajouter le poulet et le faire sauter jusqu'à belle coloration. {3} Ajouter les champignons et les faire sauter. {4} Ajouter du thym, saler et poivrer. {5} Déglacer avec le vin blanc ou le bouillon et laisser réduire quelques minutes. {6} Ajouter la crème et laisser réduire encore, jusqu'à l'obtention d'une belle sauce onctueuse et homogène. {7} Servir ce sauté sur du riz ou des pâtes, ou avec des légumes.

Cette recette me vient de ma belle-maman, maîtresse de maison accomplie. Sa réalisation est d'une grande simplicité et son succès ne s'est jamais démenti. En plus, elle se congèle !

Tarte à l'orange

{6 portions • Préparation : 10 min • Cuisson : 20 min}

2	belles oranges ou	2
8	clémentines	8
2	œufs, battus	2
1 1/4 t	sucre fin	310 ml
6 c. à tab	beurre non salé, fondu	90 ml
1	abaisse de pâte brisée de 23 cm (9 po), maison ou du commerce	1

{1} Préchauffer le four à 200 °C (400 °F). {2} Presser les oranges et réserver le jus. {3} Au robot culinaire, hacher le reste des oranges (pulpe et pelure). {4} Transférer le tout dans un bol. Incorporer le jus réservé, les œufs, le sucre et le beurre, et bien mélanger. {5} Tapisser une assiette à tarte avec la pâte brisée et en piquer le fond avec une fourchette. {6} Verser la préparation à l'orange sur la pâte. {7} Cuire au four 20 minutes. {8} Démouler et laisser reposer quelques heures sur une grille avant de servir. Si désiré, accompagner d'une boule de crème glacée* et d'un bon verre de cidre de glace.

* Je vous recommande la crème glacée au sucre d'érable Coaticook, un délice avec cette tarte !

MARTINE SATRE

Diplômée d'écoles hôtelières en Belgique et en Suisse, cette chef proprio offre aussi des cours de cuisine très courus.

DÉCOUVREZ SA CUISINE ICI

Le Temps des cerises

79, rue du Carmel, à Danville

Ce resto spécialisé en gastronomie rurale vous convie dans une église rénovée, fréquentée depuis 25 ans par les fidèles du coin.

Coup de cœur

L'AGNEAU DE LA FERME MANASAN, **à Danville, vendu sur Internet.**

Festival de l'érable de Plessisville

Le plus vieux festival de la province après le Carnaval de Québec, le Festival de l'érable existe depuis 1959. Au programme : marché public, dégustations, visite du Musée de l'érable et défilé. Au début mai.

Balade gourmande des Bois-Francs

Chaque automne, en octobre, découvrez quelque 40 producteurs, 3 marchés publics, des fermes d'élevage, des vergers, des vignobles… Des circuits guidés en autocar sont organisés, avec forfaits repas et hébergement.

Semaine québécoise des marchés publics

Marchés Godefroy, Drummondville, Plessisville, Bois-Francs, Saint-Ferdinand : les producteurs locaux sont partout. Surveillez aussi les nombreuses fêtes durant la Semaine des marchés publics, à la fin août, ici et dans toutes les régions du Québec.

{Centre-du-Québec}

À l'ère du tourisme culinaire, alors que le gourmet et son prochain prennent d'assaut les routes de campagne, les artisans du Centre-du-Québec s'affirment comme des pionniers visionnaires. C'est que les festivals s'y multiplient, le bio y fait son chemin et les produits locaux débordent des kiosques routiers. Par ici la visite au pays de l'érable, des fromages et de la canneberge, des incontournables de notre identité culinaire. N'oubliez pas votre sac à provisions !

ON SE SUCRE LE BEC

Avec 75 % de la récolte mondiale à son actif, le Québec est le plus important producteur de sirop d'érable. Et Plessisville se vante d'en être la capitale mondiale ! Sachez que le goût et la couleur du sirop varient selon la saison. Au début du printemps, il est plus clair et légèrement sucré (grade AA, A ou B). Plus tard, il devient plus ambré (grade C ou D), ce que recherchent souvent les chefs cuisiniers. Au-delà des traditionnelles cabanes, les « dents sucrées » voudront aussi suivre la Route de l'érable, qui regroupe 100 établissements — restaurants, chocolateries, boulangeries et autres — où le précieux élixir se cuisine. Plusieurs chefs de ce livre y sont en vedette.

LES AUTRES NOMS DE LA CANNEBERGE

Eh oui, le Centre-du-Québec a son Festival de la canneberge (à Villeroy, à l'Action de grâce) et sa Route des canneberges, connues aussi sous les noms d'atocas, d'airelles ou de pommes des prés. On peut s'instruire au centre d'interprétation à Saint-Louis-de-Blandford, faire la visite guidée d'une cannebergière et, surtout, assister à la récolte spectaculaire qui exige d'inonder les champs pour cueillir les fruits flottant à la surface. Confiture, vinaigre, vinaigrette, sirop, chutney, jus et fruit séché : l'antioxydante canneberge connaît une vague de popularité. Si vous êtes friand de canneberges fraîches, notez qu'il s'agit d'un produit saisonnier et qu'on peut s'en procurer de la fin septembre au mois de décembre.

LE FROMAGE EN FESTIVAL

Pour les amateurs de fromage, l'événement incontournable de l'année est sans contredit le Festival des fromages de Warwick. À la mi-juin vous y attendent un salon de dégustation, des combats des chefs, un concours de sculptures fromagères, des spectacles, des ateliers et des activités familiales extérieures. Le Festival agit aussi comme l'un des maîtres d'œuvre de Sélection Caseus, le concours de fromages fins du Québec, où le grand public peut voter. Une tournée des fromages en compétition se tient dans certains marchés publics du Québec d'avril à mai, pour vous inciter à y goûter et à participer au vote.

Les visites guidées de la Ferme des Hautes Terres, à Saint-Rémi-de-Tingwick

Le fameux Bleu d'Élizabeth de la Fromagerie du Presbytère, à Sainte-Élizabeth-de-Warwick

Le bœuf Angus de la Ferme Eumatimi, à Saint-Majorique

STÉPHANE HUBERT

D'abord plongeur, ce chef a fait tous les métiers depuis 26 ans : cuisinier, garde-manger, sous-chef... et grand patron.

DÉCOUVREZ SA CUISINE ICI

Auberge Godefroy
17 575, boul. Bécancour,
à Saint-Grégoire

À son menu tendance l'auberge jumelle une carte des vins lauréate du prix d'excellence du magazine *Wine Spectator*.

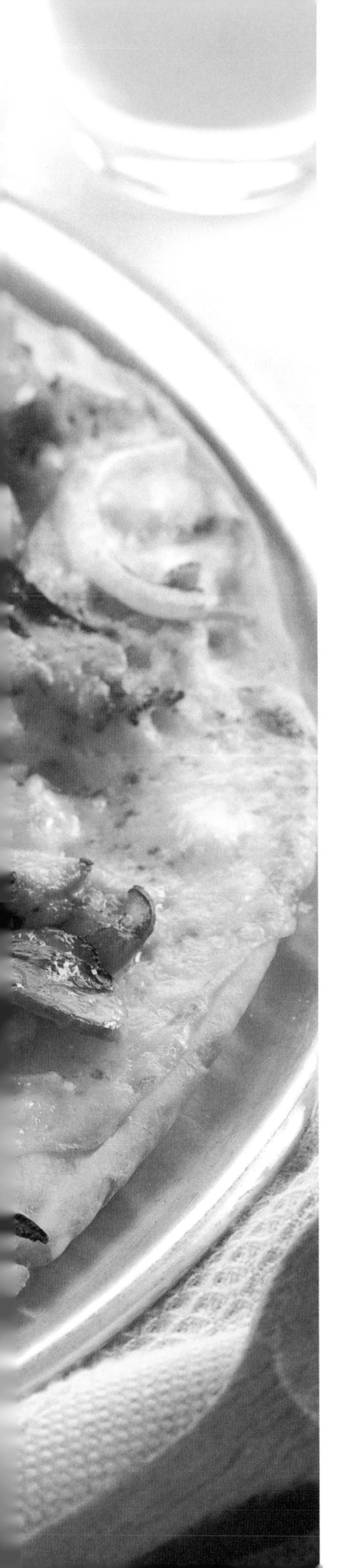

Lorsque nous recevons la famille à déjeuner, nous servons cette recette festive. Tout le monde peut ainsi manger en même temps, ce qui est difficile quand on cuit des œufs au goût de chacun. Les enfants apprécient énoooooormément.

Pizza déjeuner au canard fumé et au gratin de cheddar fort

{4 portions • Préparation : 15 min • Cuisson : 20 min}

2 c. à tab	beurre salé pour les œufs	30 ml
1/2 t	beurre salé pour la sauce	125 ml
6	gros œufs	6
1 c. à thé	pesto	5 ml
1	sachet de sauce hollandaise de style Knorr	1
1 t	lait	250 ml
1	pâte à pizza à croûte mince du commerce	1
6 oz	cheddar fort, râpé	180 g
3 1/2 oz	magret de canard (ou d'oie) fumé, tranché finement	100 g
1/2	oignon rouge, émincé	1/2
1/2	poivron rouge, émincé	1/2
	fruits frais, en garniture	

Œufs

{1} Dans une poêle, faire fondre 30 ml (2 c. à tab) de beurre. Combiner les œufs et le pesto, verser le tout dans la poêle et cuire pour obtenir des œufs brouillés encore moelleux. Réserver.

Sauce

{2} Préparer la sauce hollandaise selon le mode d'emploi sur l'emballage, mais en utilisant 125 ml (1/2 t) de beurre et 250 ml (1 t) de lait.

Pizza

{3} Préchauffer le four à 200 °C (400 °F). {4} Déposer la pâte à pizza sur une plaque allant au four. Y étaler la sauce hollandaise et y disposer les œufs brouillés. {5} Parsemer de fromage. Disposer harmonieusement les tranches de canard fumé et les légumes sur le dessus. {6} Cuire au four environ 12 minutes ou jusqu'à ce que le fromage soit légèrement coloré. {7} Servir chaque portion de pizza garnie d'une montagne de fruits frais.

Coup de cœur

LE BLEU D'ÉLIZABETH **de la Fromagerie du Presbytère, sacré meilleur fromage bio lors des prix Caseus 2009.**

STÉPHANE MARTIN

En 2006, le chef et son épouse ont ouvert leur table champêtre vouée aux produits fermiers de la région.

DÉCOUVREZ SA CUISINE ICI

La Table dans les Nuages
1001, 10e Rang, à Ham-Nord

Niché sur un coteau des Appalaches, cet endroit invite à flâner dans la nature et autour de la table.

Les matins de congé, nous aimons flâner et prendre le temps de cuisiner avec les garçons au son de la musique. Dresser la table, puis jaser avec nos petits chefs autour de bonnes gaufres, quel plaisir !

Gaufres au zeste d'orange des enfants

{8 portions • Préparation : 15 min • Cuisson : de 4 à 6 min}

1 t	farine blanche	250 ml
1 t	farine de blé entier	250 ml
6 c. à tab	cassonade ou sucre d'érable	90 ml
1/2 c. à thé	coriandre moulue	2 ml
2	gros œufs, jaunes et blancs séparés	2
3/4 t	beurre fondu	180 ml
	le zeste râpé de 1 orange	
1 1/2 t	lait	375 ml
	huile végétale pour le gaufrier	

Garnitures au choix

- sirop d'érable
- beurre d'arachide
- fromage râpé

{1} Dans un grand bol, combiner les deux farines, la cassonade et la coriandre. {2} Ajouter les jaunes d'œufs, le beurre fondu, le zeste d'orange et le lait, puis battre jusqu'à consistance onctueuse. Réserver. {3} À l'aide d'un batteur à main, battre les blancs d'œufs jusqu'à la formation de pics fermes. Incorporer au premier mélange.

Cuisson

{4} Faire chauffer le gaufrier et le badigeonner d'huile. {5} Remplir de mélange à gaufres et fermer le couvercle. Cuire environ 2 minutes ou jusqu'à ce qu'il n'y ait plus de vapeur et que les gaufres soient dorées. {6} Répéter l'opération avec le reste du mélange à gaufres. {7} Servir avec la garniture désirée.

Je me souviens de mon premier burger, quand ma mère m'a bien averti : « Pèse pas sur la boulette ! » Un conseil simple qui fait toute la différence. Vite fait et peu coûteux, ce burger est parfait pour les repas improvisés entre amis ou en famille.

CHARLES CLOUTIER

Ce chef a participé à l'ouverture du Cabaret du Casino de Montréal et a également enseigné la cuisine dans plusieurs supermarchés.

Burgers de saucisse italienne

{12 portions • Préparation : 20 min • Cuisson : 25 min}

2 1/2 lb	saucisses italiennes épicées	1,25 kg
1 lb	bœuf haché	500 g
1/4 t	chapelure	60 ml
1/4 t	parmesan râpé	60 ml
1/4 t	huile d'olive	60 ml
12	pains à hamburger ou ciabattas	12
1/2	pomme de laitue	1/2
12	tranches de fromage provolone	12
12	fines tranches d'oignon	12
	moutarde de Dijon	

{1} Préchauffer le four à 190 °C (375 °F). {2} À l'aide d'un couteau, retirer la chair à saucisse des boyaux et la verser dans un grand bol. {3} Ajouter le bœuf haché, la chapelure et le parmesan, en mélangeant bien. {4} Façonner le mélange en boulettes de 150 g (5 oz) chacune. {5} Dans une grande poêle, chauffer l'huile d'olive à feu moyen et y cuire les boulettes jusqu'à l'obtention d'une belle coloration. Éviter de surcharger la poêle, car plutôt que de griller, les boulettes bouilliraient dans le gras de cuisson. Procéder en plusieurs étapes, si nécessaire. {6} Cuire au four de 12 à 15 minutes, la température interne des boulettes devant atteindre 75 °C (160 °F). {7} Faire griller les pains à hamburger ou les beurrer et les poêler légèrement. Garnir chaque pain d'une boulette, de laitue, de provolone, d'oignon et de moutarde de Dijon… puis savourer !

DÉCOUVREZ SA CUISINE ICI

Le Communard
633, boulevard Jutras Est,
à Victoriaville

La maison vous propose une cuisine fusion qui respecte l'aliment, de la terre à l'assiette. Une belle adresse de Victo !

Coup de cœur

L'AUTRUCHE DE LA FERME LYSTANIA, toujours tendre, fraîche et surprenante.

HUGO
JOANNETTE

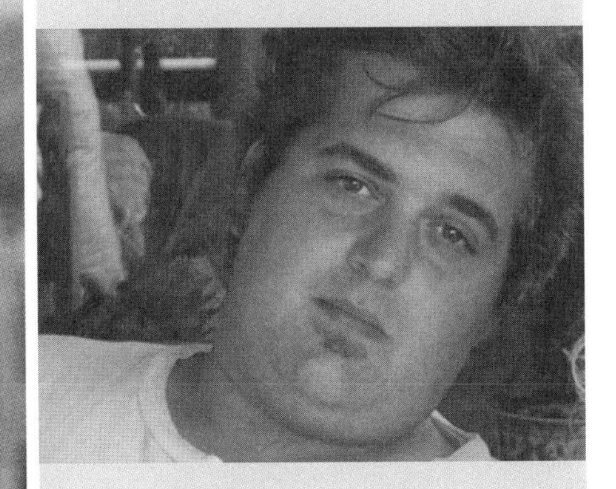

Après avoir travaillé et étudié en Belgique et au Québec, ce chef est vite revenu en région, près des produits qui sont sa passion.

DÉCOUVREZ
SA CUISINE ICI

Manoir du lac William
3180, rue Principale,
à Saint-Ferdinand

Construit début 1900 sur les bords du lac William, le manoir, qui a d'abord été un chalet, impose aujourd'hui par sa grandeur et sa table.

Quand ma conjointe et moi sommes seuls, sans nos trois magnifiques enfants (c'est-à-dire une fois aux deux ans... !), j'adore servir cette petite salade-repas, rapide et pas chère du tout.

Salade tiède de foies de volaille aux pommes et moutarde à l'ancienne

{4 portions en entrée ou 2 portions en plat principal • Préparation : 15 min • Cuisson : 20 min}

6	tranches de bacon	6
1 lb	foies de volaille du Québec	500 g
1	oignon moyen, haché	1
2	gousses d'ail, hachées	2
1/4 t	vinaigre de cidre	60 ml
2/3 t	eau	160 ml
1 c. à tab	moutarde de Meaux	15 ml
1	pomme rouge en fines lamelles	1
4 t	jeunes feuilles d'épinards	1 L
	sel et poivre noir frais moulu	

{1} Couper le bacon de façon à obtenir de petits lardons. {2} Parer les foies en retirant les nerfs (ou demander à votre boucher de le faire). Au besoin, couper les gros lobes en deux pour obtenir des morceaux d'égale grosseur.

Cuisson

{3} Dans une poêle, faire dorer les lardons. Les retirer de la poêle et les réserver au chaud. {4} Dans le gras de cuisson, déposer les foies de volaille et les cuire sans les remuer. {5} Lorsque les foies sont bien dorés, ajouter l'oignon et l'ail. Saler et mélanger pour la première fois. {6} Dès que les oignons sont translucides et commencent à caraméliser, déglacer avec le vinaigre de cidre et faire réduire à sec. {7} Incorporer l'eau et la moutarde, puis cuire jusqu'à consistance crémeuse. {8} Ajouter les lamelles de pomme et poivrer de quelques tours du moulin. {9} Verser le tout dans deux ou quatre assiettes, sur un lit d'épinards. Garnir des lardons chauds. Servir aussitôt, accompagné d'un bon vin blanc frais.

{Charlevoix}

L'agneau s'y fait appellation, le fromage y touche au Ciel et l'émeu y élit pays. Réserve mondiale de la biosphère de l'UNESCO, sertie comme un joyau entre fleuve et montagnes, Charlevoix inspire par ses paysages, séduit par ses saveurs, impressionne par son dynamisme. Que vous aimiez savourer la brunante attablé à un bistro ou arpenter l'arrière-pays à la recherche de gourmandises, vous serez servi.

La Route des saveurs de Charlevoix

Comptant parmi les plus vieux circuits gourmands du Québec, cette route propose fruits, légumes et viandes, en plus de produits artisanaux tels cidres, bières, pâtés, fromages, chocolats, etc.

Économusée de la meunerie

Aménagé dans les Moulins de l'Isle-aux-Coudres, l'Économusée combine un moulin à eau et un moulin à vent restaurés. On y moud le blé et le sarrasin comme autrefois. Des aires de pique-nique invitent à y casser la croûte.

Saveurs Charlevoix

Recherchez les nouveaux comptoirs « Saveurs Charlevoix » au supermarché pour une variété de produits du terroir charlevoisien : cassoulet de canard, confit d'oignons, rillettes de veau, etc.

Le veau de lait et de grain de Veau Charlevoix, à Clermont

Les canards de la Ferme Basque de Charlevoix, à Saint-Urbain

Les émeus du Centre de l'émeu de Charlevoix, à Saint-Urbain

Maison d'affinage Maurice Dufour

AFFINAGE À LA MAURICE DUFOUR

Peut-être ne connaissez-vous pas la Maison d'affinage Maurice Dufour, sise à Baie-Saint-Paul, dans la vallée du Gouffre. Chose certaine, vous connaissez ses fromages. C'est ici en effet que sont produits le célèbre Migneron de Charlevoix, Grand Champion des fromages canadiens 2002, et le Ciel de Charlevoix, fromage bleu au lait de vache qu'accompagnent divinement fruits séchés, chocolat et vin liquoreux. Comme chez tant de producteurs charlevoisiens, on vous y reçoit pour des visites guidées et des dégustations. Réservez... votre estomac.

DES VIANDES FINES BIO

Si vous fréquentez boucheries et boutiques fines, alors vous avez déjà vu le logo des Viandes biologiques de Charlevoix, qui identifie bacon, saucissons, jambons, poulets et coupes de porc. Ici, les animaux de la ferme sont nourris de céréales majoritairement cultivées sur place. Même le compost est fait à partir des litières du bétail. Plus fermes et moins salées, ces charcuteries se congèlent, selon les proprios. Recherchez-les dans environ 186 points de vente au Québec, ou visitez la ferme (sur réservation).

AGNEAU D'APPELLATION CONTRÔLÉE

La France aurait plus de 600 appellations contrôlées, des lentilles du Puy au piment d'Espelette. L'Italie a son Parmigiano Reggiano et ses tomates San Marzano. Au Québec, un seul produit possède une appellation ou IGP (indication géographique protégée) : c'est l'agneau de Charlevoix. Il aura fallu 15 ans d'efforts pour en arriver à cette reconnaissance, entre autres parce qu'au Québec aucune loi ne régissait les appellations réservées et les termes valorisants. Pour être vendus sous le nom « Agneau de Charlevoix », les agneaux doivent naître et grandir dans la région jusqu'à leur départ pour l'abattoir. Ils doivent être nourris de fourrages locaux, jamais de maïs. Seuls quatre producteurs offrent cette viande tendre, plus pâle et peu grasse.

Cette entrée spectaculaire est simple comme tout à réaliser. Je l'enseigne d'ailleurs dans mes ateliers de fine cuisine à des enfants de 10-12 ans, c'est dire !

Croustade de magret de canard au Migneron

{4 portions • Préparation : 15 min • Cuisson : 15 min}

1 1/2 t	pommes de terre grelots	375 ml
1	branche de romarin	1
2	feuilles de brick*	2
1 c. à tab	beurre fondu	15 ml
5 oz	magrets de canard séchés	150 g
3 1/2 oz	fromage Migneron	100 g
3/4 t	gelée de porto du commerce	180 ml
1/2	botte de cerfeuil	1/2
1/2	botte de persil	1/2

* Il est possible de remplacer les feuilles de brick par de la pâte phyllo, souvent plus facile à trouver. La pâte phyllo étant plus mince, vous aurez besoin d'au moins 6 feuilles.

{1} Préchauffer le four à 190 °C (375 °F). {2} Dans une casserole d'eau froide salée, déposer les pommes de terre grelots et le romarin. Porter à ébullition et blanchir 5 minutes. Égoutter et jeter le romarin. Si désiré, trancher les grelots. Réserver.

Croustades de brick

{3} Tailler les feuilles de brick en deux. Au pinceau, les badigeonner de beurre. {4} Déposer les demi-feuilles sur une grande plaque à pâtisserie et cuire au four 3 minutes. Attention de ne pas les brûler. Retirer du four et réserver.

Gratin

{5} Tailler les magrets de canard et le Migneron en tranches fines. {6} Répartir les grelots sur les croustades de brick. {7} Recouvrir des tranches de magret en créant une forme de rosace, si désiré. Répéter avec les tranches de fromage. {8} Cuire au four jusqu'à ce que le fromage soit fondu et légèrement doré. {9} Dresser chaque croustade dans une assiette. {10} Remuer la gelée de porto pour la liquéfier un peu, en arroser les croustades et décorer le tout avec les fines herbes.

PATRICK FREGNI

Après les grands établissements de France, le chef Fregni s'est établi dans Charlevoix, où, avec sa conjointe, il propose l'une des meilleures tables de la région.

DÉCOUVREZ SA CUISINE ICI

Au 51
51, rue Saint-Jean-Baptiste,
à Baie-Saint-Paul

Dans l'ambiance chaleureuse de Charlevoix, ce resto voué au terroir propose aussi un atelier culinaire, le Culinarium du 51.

Coup de cœur

LES GELÉES DE POIRE, DE POMME ET D'AMÉLANCHIER **des Vergers Pedneault, aussi vendues en ligne.**

MARIO
CHABOT

Notre chef a troqué Les Trois Tilleuls, membre des Relais & Châteaux situé sur le Richelieu, pour une table sur le Saint-Laurent.

DÉCOUVREZ
SA CUISINE ICI

Auberge des 3 canards
115, côte Bellevue, à La Malbaie
(Pointe-au-Pic)

Lieu de villégiature depuis plus de 50 ans, l'auberge propose une cuisine française maintes fois primée.

Recette familiale, ces « bines blanches » sont la spécialité de ma grand-mère, qui nous faisait l'immense plaisir de les cuisiner pour chaque gros déjeuner en famille. Un héritage dont je suis bien fier.

Ma recette de bines

{10 portions • Préparation : 5 min • Trempage : 12 h • Cuisson : 4 h}

12 t	fèves blanches	3 L
1 t	mélasse	250 ml
1	boîte (540 ml) de sirop d'érable	1
2	oignons hachés	2
3	boîtes (284 ml chacune) de soupe aux tomates	3
1/2 lb	lard salé	250 g
	eau	

{1} Dans un grand bol d'eau non salée, faire tremper les fèves blanches 12 heures ou toute une nuit. {2} Préchauffer le four à 180 °C (350 °F). {3} Égoutter les fèves blanches et les transférer dans une marmite allant au four. {4} Ajouter les autres ingrédients et bien mélanger. {5} Ajouter suffisamment d'eau pour recouvrir les fèves et sceller la marmite avec du papier d'aluminium. {6} Cuire au four 4 heures.

Le porc biologique, les poireaux, la crème, le fromage 1608, fait à partir de lait de vaches 100 % canadiennes… Cette recette est l'exemple parfait d'une savoureuse cuisine charlevoisienne exploitant des ingrédients bien de chez nous.

Côte de porc braisée et sa fondue de poireaux au fromage 1608

{4 portions • Préparation : 10 min • Cuisson : de 30 à 40 min}

4	côtes de porc d'environ 180 g (6 oz) chacune	4
1 c. à tab	huile d'olive	15 ml
1	noisette de beurre	1
2 t	poireaux, émincés finement	500 ml
1 3/4 t	crème 35 % M.G.	430 ml
4 oz	fromage 1608*	120 g
	sel et poivre noir frais moulu	

Sauce Martini

2 c. à tab	vin blanc	30 ml
1	échalote française, hachée finement	1
2 c. à tab	Martini blanc sec	30 ml
1/2 t	fond de veau	125 ml

* Au goût, vous pouvez remplacer le fromage 1608 par un cheddar ou par votre pâte ferme préférée.

{1} Préchauffer le four à 190 °C (375 °F). {2} Assaisonner les côtes de porc. Dans un poêlon, chauffer l'huile d'olive et y saisir la viande de chaque côté. {3} Égoutter la viande, la transférer dans un plat allant au four et réserver. {4} Dans une casserole, faire fondre le beurre et y faire suer les poireaux. {5} Ajouter la crème, saler et poivrer. Faire réduire complètement la crème sans coloration. {6} Verser la fondue de poireaux sur le porc et cuire au four de 15 à 20 minutes selon la cuisson désirée.

Sauce Martini

{7} Entre-temps, dans une casserole, combiner le vin blanc et l'échalote française, puis porter à ébullition. {8} Ajouter le Martini, laisser réduire de 2 à 3 minutes, puis incorporer le fond de veau. À feu moyen-vif, faire réduire de moitié et assaisonner au goût. Réserver.

{9} Déposer une tranche de fromage 1608 sur chaque côte de porc et poursuivre la cuisson au four 1 minute pour faire fondre le fromage. {10} Transférer les côtes de porc dans quatre assiettes de service et verser la sauce Martini autour. {11} Servir accompagné de légumes du jardin et de pommes de terre rissolées, si désiré.

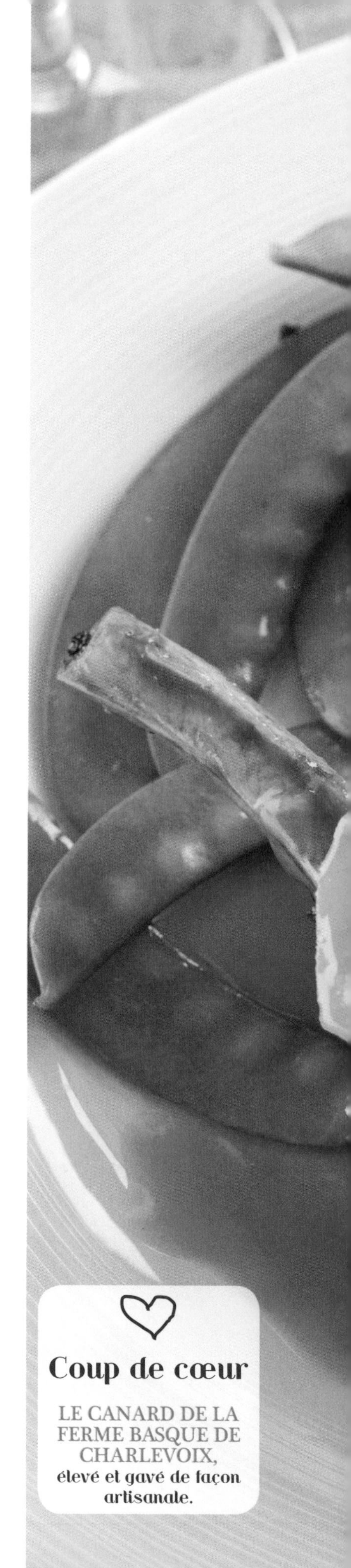

Coup de cœur

LE CANARD DE LA FERME BASQUE DE CHARLEVOIX, **élevé et gavé de façon artisanale.**

JEAN-MICHEL BRETON

Issu d'une famille de restaurateurs de Lyon, ce chef a fait nos grands hôtels : Sheraton, Ritz Carlton, Hôtel des Gouverneurs et Château Frontenac.

DÉCOUVREZ SA CUISINE ICI

Fairmont Le Manoir Richelieu

181, rue Richelieu, à La Malbaie

Niché entre mer et montagne, le restaurant du Manoir met en valeur la qualité incroyable des produits régionaux de Charlevoix.

RÉGIS HERVÉ

Arrivé au Québec en 1974, ce chef français a fait les beaux jours de l'Auberge des Falaises avant de s'installer aux Éboulements.

DÉCOUVREZ SA CUISINE ICI

Les Saveurs Oubliées
350, rang Saint-Godefroy,
aux Éboulements

Cette table champêtre, la première ouverte dans la région, fait valoir le terroir charlevoisien de son menu à sa boutique.

Pour une présentation spectaculaire, faites quatre petits bouquets avec des brins de sauge et de menthe fraîches. Passez chaque bouquet dans du sucre à glacer et déposez-le dans un os. Beau et bon.

Ma souris d'agneau et sa laque d'épices douces

{4 portions • Préparation : 30 min • Macération : 12 h • Cuisson : 2 h 30 min}

4	souris d'agneau	4
3 c. à tab	beurre	45 ml
1 t	mirepoix (céleri, oignons et carottes coupés en dés)	250 ml
12 t	fond d'agneau ou de veau	3 L
1	bouquet garni (laurier, thym, persil)	1
2 t	cassonade	500 ml
2	bâtons de cannelle, concassés	2
4	anis étoilés, écrasés	4
6	graines de cardamome verte, écrasées	6
2 c. à tab	cumin	30 ml
2 t	chacun, sucre et eau	500 ml
2 c. à tab	vinaigre de xérès	30 ml
	gros sel, sel fin et poivre noir frais moulu	

Souris d'agneau

{1} Déposer les souris d'agneau dans un grand bol, frotter de gros sel et laisser macérer au réfrigérateur toute une nuit. {2} Dans une grande marmite avec couvercle, chauffer 30 ml (2 c. à tab) de beurre. Y cuire la mirepoix jusqu'à ce que les légumes soient attendris. {3} Essuyer les souris pour enlever l'excédent de sel et les ajouter à la mirepoix. {4} Verser 2 L (8 t) de fond d'agneau, ajouter le bouquet garni, poivrer et cuire lentement à couvert et à feu doux, environ 2 heures ou jusqu'à ce que la viande commence à se détacher de l'os.

Laque

{5} Entre-temps, dans une casserole, combiner le reste de fond d'agneau avec la cassonade, la cannelle, l'anis, la cardamome et le cumin. Cuire 40 minutes à feu doux. {6} Dans une autre casserole, combiner le sucre et l'eau. Cuire jusqu'à l'obtention d'un caramel doré.

{7} Retirer l'agneau du jus de cuisson et réserver au chaud. {8} Passer le jus de cuisson au tamis et l'ajouter à la laque. Repasser le tout au tamis. Ajouter le caramel doucement, en évitant les éclaboussures. {9} Cuire cette sauce 10 minutes, puis ajouter le vinaigre et le reste de beurre de façon à obtenir une consistance sirupeuse. Rectifier l'assaisonnement. {10} Servir les souris d'agneau nappées de sauce, dans des assiettes creuses.

JEAN-FRANÇOIS BÉLAIR

Montréalais d'origine, ce jeune chef a travaillé en France et dans les Relais & Châteaux de l'Ouest canadien avant de choisir Charlevoix.

DÉCOUVREZ SA CUISINE ICI

Auberge La Pinsonnière
124, rue Saint-Raphaël, à La Malbaie

Grand hôtel en miniature, cette auberge chouchoute les produits du terroir avec passion.

Même si elles exigent un peu de temps, ces sucettes sont faciles à faire et très tendance avec leur arôme chai. Il est possible de les décorer avec des morceaux de bonbons ou du glaçage.

Sucettes au chocolat au lait et au thé chai

{De 12 à 15 sucettes • Préparation : 15 min • Cuisson : de 2 à 3 h • Réfrigération : 20 min}

13 1/2 oz	chocolat au lait, haché	400 g
1	sachet de thé chai, marque au choix	1

Équipement

1	pot Mason d'environ 1 L (4 t)	1
24 à 30	carrés de 8 cm (3 po) de feuille guitare*	24 à 30
12 à 15	bâtonnets de bois	12 à 15

* Vous trouverez la feuille guitare dans les cuisineries. Conçue spécialement pour travailler le chocolat, elle lui conserve sa brillance. Vous pouvez lui substituer du papier parchemin.

{1} Déposer le chocolat dans le pot Mason. {2} Ouvrir le sachet de thé et verser son contenu sur le chocolat. Bien fermer le pot. {3} Déposer le pot dans une casserole de grandeur moyenne. Remplir la casserole d'eau à hauteur du chocolat. {4} À feu très, très doux, faire fondre le chocolat et infuser le thé de 2 à 3 heures. S'assurer que la casserole ne manque jamais d'eau. {5} Ouvrir le pot et goûter au chocolat pour juger si l'infusion de thé est assez intense. Sinon, continuer à infuser jusqu'à l'intensité désirée. {6} Passer le tout au tamis à l'aide d'une spatule de caoutchouc, pour retirer les grains de thé et d'épices. (Bien lécher la spatule avant de la laver !)

Moulage

{7} Déposer 15 ml (1 c. à tab) de chocolat sur un carré de feuille guitare. Poser un deuxième carré de feuille guitare dessus et presser légèrement avec les doigts pour former un rond de chocolat. {8} Répéter l'opération avec le reste du chocolat. {9} Insérer délicatement un bâtonnet entre les carrés de feuille guitare en le faisant pénétrer dans le chocolat. {10} Répéter l'opération pour toutes les sucettes. {11} Laisser prendre 20 minutes au réfrigérateur. {12} Retirer doucement les carrés de feuille guitare et déguster !

Routes gourmandes

Appalaches, Beauce, Bellechasse, Lévis, Lotbinière, L'Islet et Montmagny : les routes gourmandes sillonnent la région. Celle de Cap-Saint-Ignace a d'ailleurs remporté le Grand Prix du tourisme régional 2010. Découvrez aussi les circuits Charmes et saveurs de la Beauce.

Gros gibier

Dans ce paradis de la chasse au gros gibier, on élève aussi le bison et le cerf rouge dans des fermes qui offrent visites, dégustations et boutiques.

Festival de l'oie

Telle une nuée blanche à l'horizon, les oies des neiges font halte dans la région. Les amateurs peuvent également y observer sauvagines, bécasses et perdrix.

Île aux Crues

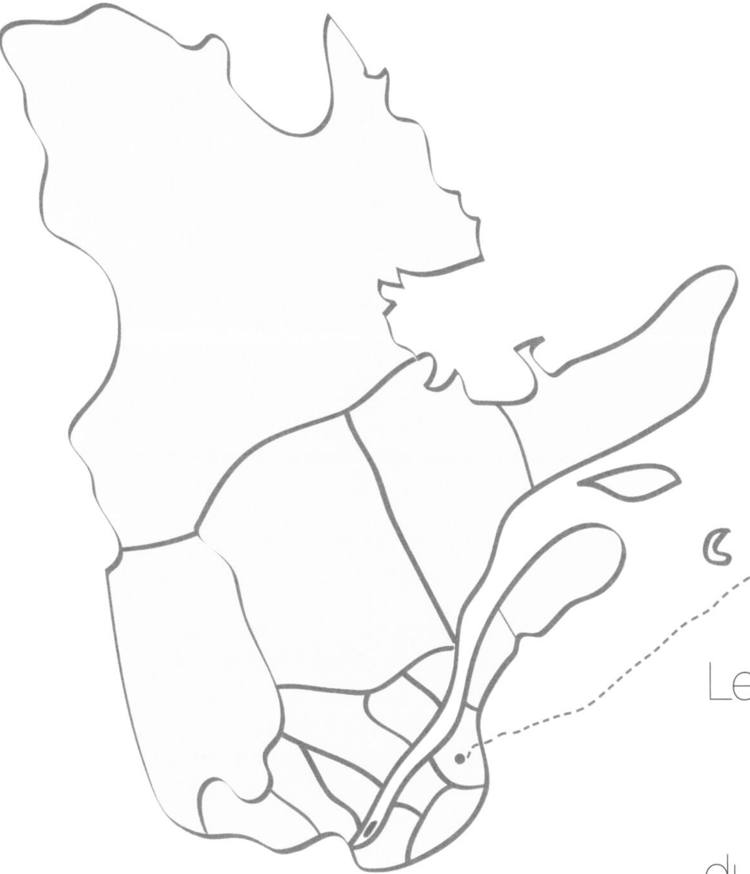

{Chaudière-Appalaches}

Les circuits gourmands abondent dans cette magnifique région blottie entre les berges du Saint-Laurent et les contreforts des Appalaches. Ici, l'oie blanche se donne en spectacle, le gros gibier invite à la chasse et les petits fruits se transforment en alcools fins. Les visiteurs ont l'embarras du choix.

Les Bisons Chouinard, à Saint-Jean-Port-Joli

Les crèmes de petits fruits de la Ferme Le Ricaneux, à Saint-Charles-de-Bellechasse

L'argousier du Domaine Les 3 Collines, à Armagh

Ferme bio de Cassis et Mélisse

LA SEIGNEURIE DES AULNAIES

Pas moins de cinq moulins s'égrènent ici, de Beaumont à Lac-Etchemin, en passant par Sainte-Aurélie, Lotbinière et Saint-Roch-des-Aulnaies. C'est là que vous trouverez la Seigneurie des Aulnaies, le centre d'interprétation de la vie seigneuriale le plus complet au Québec. Adjacent au manoir victorien et au resto-terrasse, le moulin est encore actif après 300 ans. On peut y acheter de la farine intégrale, de sarrasin ou de seigle, ou tout simplement un bon pain. Fin juillet, un marché public d'antan accueille les producteurs de la région et leurs gourmandises du terroir.

DE RIOPELLE À CASSIS

Êtes-vous du type « vache » ou du type « chèvre » ? Incontournable, la Fromagerie de l'Île-aux-Grues produit ses fromages exclusivement à partir du lait des vaches de l'île aux Grues et de l'île aux Oies, dans le Saint-Laurent. Son Riopelle de l'Isle a d'ailleurs reçu le Grand Prix du public Caseus 2010. Vous voudrez aussi découvrir les fromages de chèvre de Cassis et Mélisse, une ferme bio de Saint-Damien-de-Buckland où la chèvre se déguste de multiples façons : fromages frais et affinés, saucisses de chèvre, terrines de chevreau… On en fait même du savon.

L'OIE DES NEIGES

Depuis près de 40 ans, Montmagny est la capitale de l'oie blanche : dans son périple vers le Sud, elle s'arrête sur les battures du Saint-Laurent le temps de nous époustoufler. Dès octobre, au plus fort de la migration, Montmagny nous reçoit lors de son Festival de l'oie blanche, où activités familiales, grands spectacles, soupers populaires et fine cuisine à base d'oie sont au menu. On dit que jusqu'à 600 000 oies des neiges s'arrêtent dans la région chaque année. Les ornithologues amateurs peuvent les observer dans leurs aires préférées, généralement sur les battures, dans les marais, dans les champs de céréales et sur les bancs de sable. Des croisières sont aussi proposées.

Cette recette très santé peut être modifiée selon vos goûts. On peut y ajouter des lanières de poulet, du poisson, des herbes fraîches... Servez-la avec une belle salade pour un menu estival savoureux et léger.

Croustillant de légumes marinés au Galarneau

{4 portions • Préparation : 30 min • Cuisson : 25 min}

10 c. à tab	huile d'olive	150 ml
3 t	poivrons rouges et verts, coupés en lanières	750 ml
1 1/2 t	courgettes, coupées en cubes	375 ml
1 1/2 t	oignons, émincés	375 ml
2 t	champignons, émincés	500 ml
1/2 t	tomates séchées, émincées	125 ml
2	gousses d'ail, dégermées et hachées	2
1/4 t	vinaigre balsamique	60 ml
4	feuilles de pâte phyllo, décongelées	4
4 oz	fromage Galarneau, tranché finement (ou votre fromage québécois préféré)	120 g
	sel et poivre noir frais moulu	

Légumes

{1} Dans une poêle antiadhésive ou un wok à feu vif, chauffer 30 ml (2 c. à tab) d'huile d'olive pour qu'elle soit très chaude. {2} Ajouter les légumes et l'ail, saler et poivrer, puis faire sauter en remuant souvent jusqu'à ce que les légumes soient attendris. {3} Déglacer avec le vinaigre balsamique et laisser réduire pour que le liquide s'évapore. {4} Égoutter le tout dans une passoire et laisser refroidir.

Croustillant

{5} Préchauffer le four à 150 °C (300 °F). {6} Tapisser une plaque à pâtisserie de papier parchemin. {7} Badigeonner une feuille de phyllo d'huile d'olive et la déposer sur la plaque. {8} Procéder de la même façon avec les autres feuilles de phyllo, en les superposant sur la plaque. S'assurer de réserver un peu d'huile pour la fin. (La pâte phyllo ayant tendance à se dessécher, il faut travailler vite ou recouvrir les feuilles non huilées d'un linge humide.) {9} Déposer la préparation de légumes sur la pâte en laissant vide le tiers supérieur, recouvrir des tranches de fromage Galarneau et former un rouleau assez serré.

Cuisson

{10} Badigeonner le rouleau d'huile d'olive et cuire au four environ 15 minutes ou jusqu'à coloration dorée. {11} Découper le rouleau avec un couteau à pain et servir.

Coup de cœur

LES BISONS CHOUINARD, **élevés dans un cadre naturel à Saint-Jean-Port-Joli.**

PATRICK GONFOND

Formé à Avignon, ce chef français est un amateur de randonnée et de camping qui a fait de Saint-Jean-Port-Joli son coin de pays.

DÉCOUVREZ SA CUISINE ICI

Restaurant-café La Coureuse des Grèves
300, route de l'Église,
à Saint-Jean-Port-Joli

Sous ses airs de simple café urbain, La Coureuse cache une âme de grand restaurant gastronomique.

Coup de cœur

L'ARMAGH'OUSIER
DU DOMAINE
LES 3 COLLINES,
une boisson fine qui accompagne foie gras, gibier, fromages et chocolat.

OLIVIER RAFFESTIN

Charcutier de formation, ce chef a travaillé dans plusieurs vignobles de la Loire avant d'étudier la cuisine au Québec.

DÉCOUVREZ SA CUISINE ICI

Auberge des Glacis
46, route Tortue, à L'Islet

Ancien moulin devenu table gourmande, l'auberge possède son propre parc de cinq hectares aménagé avec lac de baignade et belvédère.

Ce plat me replonge dans mon enfance près de Sancerre, en France. Ma mère le cuisinait les chaudes journées d'été, à partir d'ingrédients de notre jardin à côté de la Loire. Avec mes huit frères et sœurs, nous le dévorions à belles dents !

Gratin de courgettes farcies au porc

{4 portions • Préparation : 30 min • Cuisson : 1 h}

3	courgettes moyennes	3
2	tomates	2
2 lb	porc haché	1 kg
2	oignons moyens, hachés finement	2
4	gousses d'ail, hachées finement	4
1/2	bouquet de persil frais, haché	1/2
	herbes fraîches au goût (je vous suggère basilic, coriandre, ciboulette, thym)	
1/2 t	vin blanc	125 ml
2 c. à thé	sel fin	10 ml
1/2 c. à thé	poivre noir frais moulu	2 ml
7 oz	fromage Mi-Carême de l'Île-aux-Grues, tranché	200 g

{1} Préchauffer le four à 180 °C (350 °C). {2} Couper les courgettes en deux sur la longueur et, à l'aide d'une cuillère, les évider en prenant soin de ne pas briser la peau. Réserver la chair dans un grand bol. {3} Placer les demi-courgettes dans un plat rectangulaire allant au four, du genre plat à lasagne.

Farce

{4} Trancher les tomates en deux, retirer les pépins et couper la chair en dés. {5} Ajouter les tomates en dés, le porc, les oignons, l'ail, le persil, les herbes fraîches, le vin blanc, le sel et le poivre à la chair de courgettes réservée. Bien mélanger. {6} Diviser cette farce en six portions et la façonner en forme de saucisses. En déposer une dans chaque demi-courgette.

Cuisson

{7} Cuire au four environ 1 heure. {8} Environ 5 minutes avant la fin de la cuisson, couvrir de tranches de Mi-Carême et faire gratiner sous le gril du four.

C'est au cours d'un séjour de deux ans à Vancouver, où j'étais allé parfaire mon anglais, qu'une amie thaïlandaise m'a appris à cuisiner ce cari. Chaque fois que je le fais, je me rappelle cette belle époque de ma vie à l'autre bout du pays.

Cari de poulet à la noix de coco

{6 portions • Préparation : 15 min • Marinade : de 1 h à 2 h (facultatif) • Cuisson : de 1 h 30 min à 1 h 45 min}

6	poitrines de poulet de grain	6
1	boîte (398 ml/14 oz) de lait de coco	1
1	pomme, pelée et coupée en dés	1
2 po	racine de gingembre frais, râpée	5 cm
4	gousses d'ail, hachées	4
3 c. à tab	cari de Madras*	45 ml
1 c. à tab	sel	15 ml
	quelques pincées de poivre noir frais moulu	
2 c. à tab	fécule de maïs	30 ml
	eau	
3	oignons verts, hachés	3

* Le cari de Madras est l'un des plus intenses de la cuisine indienne. Il est possible d'y substituer un cari plus doux, au goût.

Marinade

{1} Couper le poulet en gros cubes et déposer les cubes dans une cocotte. {2} Ajouter le lait de coco, les dés de pomme, le gingembre, l'ail, le cari, le sel et le poivre. Mélanger pour bien enrober le poulet. {3} Si désiré, réfrigérer de 1 à 2 heures afin que les saveurs se marient.

Cuisson

{4} Préchauffer le four à 190 °C (375 °F). {5} Sur la cuisinière, à feu vif, porter le mélange de poulet à ébullition. {6} Couvrir et déposer la cocotte dans le four. Cuire de 1 heure 15 minutes à 1 heure 30 minutes. {7} Diluer la fécule de maïs dans un peu d'eau. Retirer la cocotte du four, verser le mélange de fécule et remuer délicatement pour lier la sauce. {8} Servir garni d'oignons verts hachés.

Accompagnements : Ce cari sera délicieux avec un riz nature, garni de crème sure et de chutney de mangue ou de confiture d'abricots.

Coup de cœur

LES POULETS GIGUÈRE REFROIDIS À L'AIR, vendus dans les supermarchés et les boucheries de la région.

PASCAL GAGNON

Prédestiné à exercer ce métier, Pascal Gagnon a grandi dans l'auberge familiale. Il est chef au manoir depuis 1996.

DÉCOUVREZ SA CUISINE ICI

Manoir de Tilly
3854, chemin de Tilly,
à Saint-Antoine-de-Tilly

Demeure seigneuriale devenue auberge 4 étoiles, le manoir dispose d'une terrasse avec vue sur le Saint-Laurent.

Coup de cœur

LES FROMAGES DE L'ÎLE-AUX-GRUES, **faits avec le lait des vaches de l'île.**

FRÉDÉRIC
CYR

Après quelques années de vagabondage culinaire jusqu'en Europe et en Amérique du Sud, notre chef est revenu au manoir familial.

DÉCOUVREZ
SA CUISINE ICI

Manoir des Érables
220, boulevard Taché Est,
à Montmagny

Situé dans un parc semi-boisé à quelques pas du Saint-Laurent, le manoir a reçu de grands noms, dont Gordon Ramsay et son émission télé.

Petit, quand j'arrivais au coin de la rue, je savais déjà que ma mère avait préparé son pouding pour nous. Et c'est toujours vrai aujourd'hui. C'est ça qu'on appelle la gourmandise ?

Pouding au chocolat de maman

{6 portions • Préparation : 10 min • Cuisson : 40 min}

Pouding

3/4 t	sucre	180 ml
1 t	farine	250 ml
2 c. à thé	levure chimique (poudre à pâte)	10 ml
2 c. à thé	cacao	10 ml
1/4 t	beurre mou + beurre pour le moule	60 ml
1/2 t	lait	125 ml
1/2 c. à thé	extrait de vanille	2 ml

Glaçage

1/2 t	cassonade	125 ml
1/2 t	sucre	125 ml
1/4 t	cacao	60 ml
1 t	eau froide	250 ml

{1} Préchauffer le four à 160 °C (325 °F). {2} Mélanger les ingrédients secs du pouding. {3} Incorporer le beurre. {4} Ajouter le lait et la vanille, puis mélanger juste ce qu'il faut (la levure chimique n'aime pas être brassée). {5} Beurrer un moule carré de 23 cm (9 po). Y verser le mélange de pouding.

Glaçage

{6} Sans les mélanger, parsemer successivement la cassonade, le sucre et le cacao sur le pouding dans le moule. Verser l'eau froide sur le tout. {7} Cuire au four 40 minutes. Le pouding est prêt quand un cure-dents inséré au centre en ressort propre. {8} Garder le produit final hors de la vue des enfants jusqu'à la fin du repas… sinon ils ne mangeront jamais leurs légumes !

SÉBASTIEN NÈGRE

Ce natif de Perpignan, dans le sud de la France, était venu au Québec pour enrichir ses connaissances culinaires. Il y est resté, pour notre plus grand bonheur.

DÉCOUVREZ SA CUISINE ICI

Chez Octave
100, rue Saint-Jean-Baptiste Est, dans le Vieux-Montmagny

Dans cette maison de 1847 remise au goût du jour, le chef crée une cuisine bistro aux saveurs du terroir.

Ma blonde n'est pas une très grande mangeuse de fruits, mais elle a une « dent sucrée » assez développée, merci. Avec ce beurre, j'ai réussi à lui faire accepter les pommes et elle s'en délecte tous les matins.

Beurre de pomme, vanille et cidre de glace

{5 portions • Préparation : 30 min • Cuisson : 15 min}

1	gousse de vanille Bourbon	1
10 à 12	pommes, pelées, épépinées et coupées en morceaux	10 à 12
3/4 t	cassonade	180 ml
1/3 t	cidre de glace	80 ml
1 1/4 t	beurre non salé, en morceaux	310 ml

{1} Couper la gousse de vanille en deux dans le sens de la longueur. {2} Dans une casserole, combiner les moitiés de gousse, les morceaux de pommes, la cassonade et le cidre de glace. {3} Cuire à feu moyen en brassant régulièrement environ 15 minutes ou jusqu'à ce que les pommes soient cuites. Attention de ne pas faire brûler. {4} Retirer les demi-gousses de vanille. À la pointe du couteau, gratter l'intérieur pour en retirer les graines. {5} Dans le bol du mélangeur, combiner le mélange de pommes et les graines de vanille et mélanger jusqu'à l'obtention d'une fine purée. {6} Ajouter le beurre et mélanger de nouveau jusqu'à consistance homogène, de 5 à 7 minutes. {7} Verser dans des contenants et réfrigérer jusqu'au moment de servir. Ce beurre se conservera au réfrigérateur de 3 à 5 semaines.

Coup de cœur

LE CIDRE DE GLACE DE LA CIDRERIE LA POMME DU SAINT-LAURENT **à Cap-Saint-Ignace.**

Gaspésie gourmande

Ils sont plus de 130 artisans, producteurs, épiceries fines, etc. à cultiver le plaisir de la table dans un Tour gourmand qui suit le littoral et visite l'arrière-pays.

Festival La Virée de Carleton-sur-Mer

Chaque mois d'octobre, le plus important marché public en Gaspésie abrite producteurs et artistes sous le chapiteau, avec démonstrations, dégustations et spectacles.

Marché public de New Richmond

De la mi-juillet au mois de septembre, artisans des scènes culinaire et culturelle vous accueillent en plein air. En vedette, des produits locaux à découvrir absolument.

{Gaspésie}

Saviez-vous que la Gaspésie se classe au troisième rang des plus belles destinations au monde selon la National Geographic Society ? Les gourmands vous diront qu'au-delà des paysages à couper le souffle, cette région émerveille avec ses poissons et fruits de mer, ses microbrasseries locales et ses élevages innovants tels ceux de yaks et d'émeus. Des saveurs qui vous raviront.

Les yaks de la ferme Bos G., à Saint-Elzéar-de-Bonaventure

Les boissons de fraises de Fermes Bourdages Tradition, à Saint-Siméon-de-Bonaventure

La Microbrasserie Pit Caribou de l'Anse-à-Beaufils, à Percé

LE PARADIS DU POISSON

Rien de plus gaspésien qu'un plateau de poissons et fruits de mer, au menu de nombreux restaurants. Saumon, hareng, maquereau, morue et compagnie : ici, la plupart des poissonneries fument leur propre poisson. Parmi les incontournables, mentionnons Atkins et Frères de Mont-Louis, récipiendaire du prix Renaud-Cyr 2003 pour sa « contribution remarquable à la gastronomie québécoise », dont les produits sont distribués dans les poissonneries partout au Québec. Les gens du coin vantent aussi le Fumoir Monsieur Émile de Percé. Les Pêcheries gaspésiennes, le Fumoir Cascapédia et la Poissonnerie Lelièvre, avec son Économusée du salage et séchage de la morue, vous feront aussi nager dans le bonheur. À noter : si vous êtes plutôt mordu de homard, la saison commence ici deux semaines avant partout ailleurs au Québec et dans les Maritimes.

FOURCHETTE BLEUE

Ce programme de certification vise à encourager les restaurants et poissonneries de la Gaspésie à varier les espèces marines au menu. Si les gastronomes apprennent à apprécier maquereau, oursin, phoque et autres, le risque de surpêche de certaines espèces s'en trouvera réduit d'autant. Recherchez le logo « Fourchette bleue » dans les établissements de la région et surprenez vos papilles.

MÊME LES MOULES SONT BLEUES

L'élevage de la moule bleue a cours au Québec seulement depuis les années 80. Les mytiliculteurs (éleveurs de moules) installent des câbles dans la mer, entre deux eaux, afin que les moules s'y fixent au lieu de rechercher les bas-fonds. Résultat : vous êtes assuré de savourer un produit naturel et écologique. Les moules cultivées proviennent surtout des baies de la Gaspésie, des Îles-de-la-Madeleine et de la Côte-Nord.

AGNEAU AUX ALGUES

Connaissez-vous l'agneau des Bergeries du Margot à Bonaventure ? Nourri aux algues, il est tendre et juteux, mais ne goûte pas le sel pour autant. À moins de pouvoir vous déplacer à la ferme, demandez-le à votre épicier.

SAUVAGE, LA GASPÉSIE ?

Des champignons aux petits fruits en passant par les fleurs et les graines, Gaspésie Sauvage fait la cueillette de produits sauvages souvent uniques. Têtes-de-violon, boutons d'hémérocalle, salicorne et champignons sauvages sont transformés et vendus dans les épiceries fines.

Ces *short ribs* sont un des plats-vedettes de notre auberge. J'ai adapté la recette simplement, pour les besoins de tous les jours. Elle est vraiment facile à faire. Il faut juste y mettre le temps. Vive le Slow Food !

Short ribs de bœuf, style bistro

{4 portions • Préparation : 15 min • Cuisson : de 5 h 15 min à 6 h 15 min • Macération : 12 h}

4 lb	bouts de côtes de bœuf*	2 kg
1	bouteille (750 ml) de vin rouge	1
2 t	demi-glace de bœuf (sauce brune maison ou du commerce)	500 ml
1/2 t	beurre	125 ml
2 t	mirepoix (carottes, céleri et oignons en dés)	500 ml
4	feuilles de laurier	4
1	grosse tomate, en dés	1
	persil frais, haché	
	eau pour couvrir la viande, si nécessaire	
	sel et poivre noir frais moulu	

* Demandez à votre boucher de les parer et de les couper dans le sens des os.

Marinade

{1} La veille de votre souper, dans un plat profond et étroit, déposer le bœuf (chair vers le bas) et couvrir de vin rouge. {2} Recouvrir le plat de pellicule plastique et laisser macérer au réfrigérateur un bon 12 heures.

Cuisson

{3} Préchauffer le four à 85 °C (180 °F). {4} Si vous utilisez un produit du commerce, préparer la demi-glace en suivant les directives sur l'emballage. {5} Entre-temps, retirer le bœuf du plat et le transférer dans une cocotte avec couvercle. Réserver le vin. {6} Dans une casserole, faire fondre le beurre, ajouter la mirepoix et cuire à feu moyen jusqu'à ce que les légumes soient tendres. {7} Ajouter le vin réservé, la demi-glace et les feuilles de laurier. Porter à ébullition et laisser réduire du tiers. {8} Verser le tout sur le bœuf (ajouter de l'eau si nécessaire pour recouvrir le bœuf), couvrir et cuire au four de 5 à 6 heures, en vérifiant au bout de 4 heures. Quand la viande veut se détacher de l'os, c'est signe qu'il reste 1 heure de cuisson. {9} Sortir la cocotte du four et laisser reposer le bœuf 20 minutes dans son jus.

Service

{10} Délicatement, transférer les côtes de bœuf dans des assiettes de service. {11} Dégraisser le jus de cuisson pour ne conserver que la sauce onctueuse. Rectifier l'assaisonnement. {12} Verser la sauce sur la viande, puis garnir de dés de tomate et de persil. Servir accompagné d'une bonne purée de pommes de terre, si désiré.

DESMOND OGDEN

Ce chef britannique a œuvré sous de grandes toques françaises avant de marier une fille de Gaspé et de s'installer dans son patelin en 1978.

DÉCOUVREZ SA CUISINE ICI

La Maison William Wakeham
186, rue de la Reine, à Gaspé

Cette auberge patrimoniale de l'époque victorienne comble ses invités avec sa cuisine du marché où les poissons de la Gaspésie sont à l'honneur.

STÉPHANE THÉRIAULT

Diplômé en cuisine hôtelière, ce chef a travaillé notamment à l'Hôtel Tadoussac et au Clarendon, dans le Vieux-Québec.

DÉCOUVREZ SA CUISINE ICI

Auberge Beauséjour
71, boulevard Saint-Benoît Ouest, à Amqui

Cet établissement historique aime faire découvrir les saveurs de la région, jumelées à une cuisine d'inspiration française.

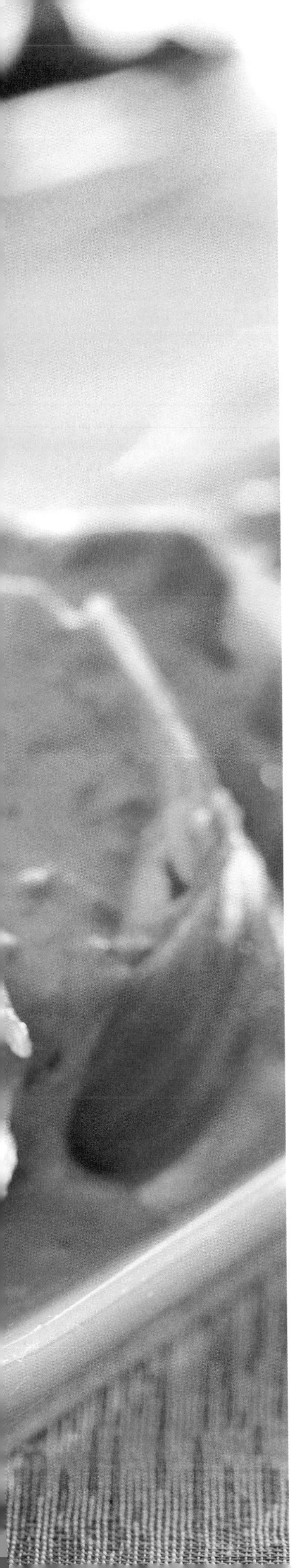

Ma belle-mère prépare ce plat avec des produits de sa Normandie, c'est-à-dire de la pintade et du fromage Livarot. Adaptée pour le Québec, c'est une recette digne d'un resto, mais qui se fait à la maison. Je l'ai même servie dans un banquet de dernière minute, avec succès.

Poulet farci aux asperges et au fromage oka, crème de pesto

{4 portions • Préparation : 15 min • Cuisson : de 25 à 30 min}

12	asperges	12
4	poitrines de poulet sans peau ni os	4
4	tranches épaisses de fromage oka	4
5 ou 6	feuilles de basilic frais	5 ou 6
2 t	crème à cuisson 35 % M.G.	500 ml
3 c. à tab	pesto de basilic	45 ml
4	tranches de prosciutto	4
	sel et poivre noir frais moulu	

{1} Préchauffer le four à 180 °C (350 °F). {2} Dans une casserole d'eau bouillante salée, blanchir les asperges de 3 à 4 minutes. Égoutter et réserver. {3} Dans le sens de la longueur, pratiquer délicatement une incision dans les poitrines de poulet, et les ouvrir en portefeuille. {4} Dans la cavité de chaque poitrine, déposer 1 tranche de fromage oka et 3 asperges blanchies. {5} Hacher finement le basilic et le répartir sur les asperges. Saler et poivrer l'intérieur au goût. {6} Refermer chaque poitrine sur les ingrédients afin de former des ballotines. Il faut éviter que le fromage s'échappe durant la cuisson. {7} Envelopper chaque poitrine dans de la pellicule plastique, très serré, pour bien sceller et conserver toute la saveur. {8} Déposer les ballotines dans un plat allant au four. Verser de l'eau autour, de façon à couvrir les ballotines aux trois quarts. {9} Cuire au four de 20 à 25 minutes.

Crème de pesto

{10} Entre-temps, verser la crème dans une casserole. Ajouter le pesto et faire mijoter à feu très doux 15 minutes. Saler et poivrer au goût.

Pour servir

{11} Sortir les ballotines du four et retirer la pellicule plastique. Enrouler chaque poitrine dans une tranche de prosciutto et couper en tranches d'environ 2,5 cm (1 po) d'épaisseur. {12} Napper de crème de pesto et servir.

Cette recette vient de ma grand-mère. Je n'ai jamais eu la chance d'y goûter à l'époque, mais ma grande sœur a repris le flambeau afin de perpétuer ce plaisir gourmand pour toute la famille. J'en redemande toujours.

Salade d'hiver

{15 pots de 500 ml (2 t) • Préparation : 1 h • Macération : 1 h • Cuisson : 15 min}

8 t	concombres, pelés et coupés en dés, avec pépins*	2 L
4 t	tomates vertes, coupées en dés	1 L
4 t	oignons, émincés finement	1 L
1	chou moyen, émincé finement	1
6	carottes moyennes, râpées	6
1 t	sel fin	250 ml
4 t	sucre blanc	1 L
3 c. à tab	moutarde sèche	45 ml
1/2 c. à thé	curcuma	2 ml
1 t	farine blanche	250 ml
3 t	vinaigre	750 ml

* Bien laver tous les légumes à l'eau froide et bien les essuyer avant de les couper.

{1} Dans un grand bol, déposer les concombres, les tomates, les oignons, le chou et les carottes. Couvrir d'eau, ajouter le sel fin, mélanger et laisser reposer 1 heure. {2} Entre-temps, stériliser vos pots à marinades. Dans une grande marmite, les recouvrir d'eau et laisser bouillir à gros bouillons 15 minutes. Ajouter les couvercles dans l'eau bouillante 5 minutes avant la fin. {3} Dans une grande casserole, verser le sucre, la moutarde sèche, le curcuma, la farine et le vinaigre. Bien mélanger. {4} Égoutter les légumes et les verser dans la casserole. Remuer et cuire à feu moyen environ 15 minutes ou jusqu'à épaississement du liquide. Remuer sans arrêt durant la cuisson. {5} Verser les marinades chaudes dans les pots stérilisés et sceller. Laisser refroidir à la température ambiante.

Note : Cette salade d'hiver se conservera facilement plus d'un an dans un endroit frais. À déguster avec vos viandes, gibiers, charcuteries et terrines.

DANIEL GASSE

Après un stage au Château de Champlong en France, il a ouvert son propre resto spécialisé en fruits de mer et grillades.

DÉCOUVREZ SA CUISINE ICI

La Broue dans l'Toupet

20, 1re Avenue Est, à Mont-Louis

Accrédité Fourchette bleue, ce bar et gril d'ambiance propose une belle cuisine régionale. La bouillabaisse à elle seule vaut le déplacement.

LES BOUCHÉES DE SAUMON FUMÉ À L'ÉRABLE DES FRÈRES ATKINS, **un sucré-salé à déguster en salade ou comme amuse-bouche.**

Festival Montréal en lumière

En février, ce festival accueille les meilleurs chefs d'un pays étranger en vedette, qui envahissent les cuisines de nos toques montréalaises. On peut s'offrir de grands repas dans de grands restos ou simplement profiter de la Fête des fromages d'ici, du Carrefour des saveurs et des autres activités connexes.

Salon Passion Chocolat & Cie

Le must pour les fanas de chocolat, ce salon conjugue le cacao de mille et une façons. Chocolats montés en direct, minimusée du chocolat, encan silencieux, bar à chocolat, démonstrations et conférences : chaque année, le menu change. En novembre.

Marché public de Pointe-à-Callière

Dans l'ambiance du 18e siècle, ce marché permet de redécouvrir des produits d'autrefois tels que galettes de sarrasin, melon de Montréal, gomme d'épinette, wapiti et ail des bois. Heure du conte, défilés militaires et démonstrations en tout genre sont aussi au programme, à la fin août.

{Grand Montréal}

Plus carrefour international que capitale du terroir, le Grand Montréal invite à la découverte des saveurs du monde. Ici, salons et festivals ont la cote pour une sortie branchée. Quant au terroir, il s'exprime dans les multiples marchés publics — Jean-Talon, Atwater, Maisonneuve et Lachine —, dans plus de 25 marchés de quartier et à la table des restaurateurs, qui entretiennent des liens étroits avec les producteurs de partout au Québec. Savoureux !

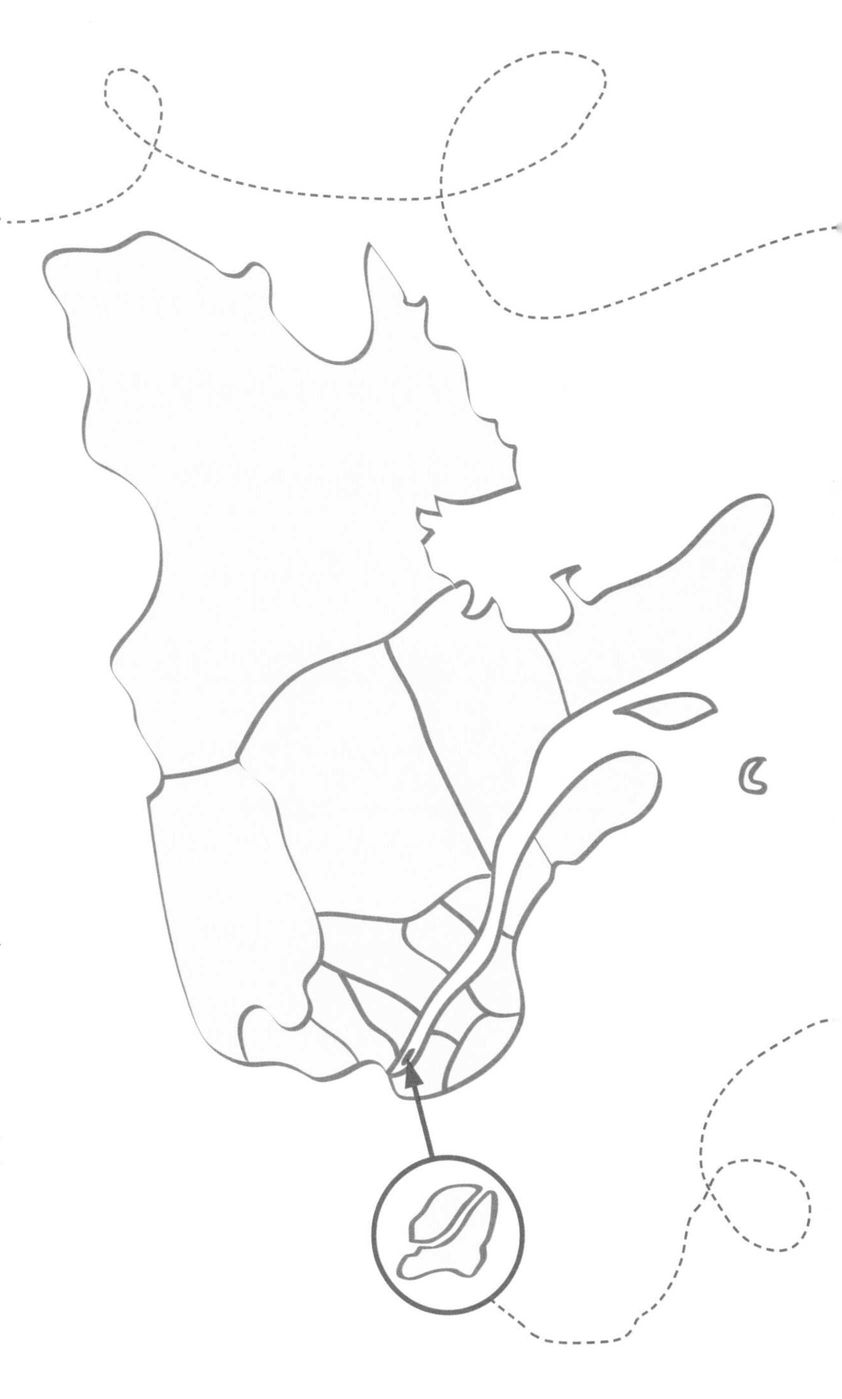

LE MARCHÉ JEAN-TALON

C'est aux immigrants que Montréal doit l'ouverture, en 1934, du Marché Jean-Talon, le plus important marché à aire ouverte en Amérique du Nord. Durant l'été, les fermes environnantes y occupent jusqu'à 300 kiosques qui croulent sous les bons légumes et fruits frais de saison. En hiver, quelques boutiques restent ouvertes, proposant fromages fins, épices, olives, viandes, volailles et poissons. C'est d'ailleurs ici que plusieurs grands restaurants de Montréal s'approvisionnent. Lors de votre visite, n'oubliez pas d'aller fureter au Marché des Saveurs du Québec, une vitrine sur le terroir qui se targue de proposer 7 000 produits provenant de plus de 400 producteurs au Québec.

Le cidre de glace du Vignoble Château Taillefer Lafon, à Laval (secteur Sainte-Dorothée)

Le smoked meat de Schwartz's, à Montréal

La Fête des semences, en février, au Jardin botanique de Montréal

Les bagels de Fairmount Bagel et St-Viateur Bagel, à Montréal

MONTRÉAL, VILLE DE FESTIVALS

À Montréal même, l'agrotourisme se fait tour à tour urbain et international, au fil des fêtes et festivals qui envahissent la ville. Salon des vins et spiritueux de Montréal en mars, Cultures gourmandes de Pointe-à-Callière en mai, Mondial de la bière en juin, Expo Gourmet Montréal en octobre, ou Saveurs et tentations en novembre : à longueur d'année, il y en a pour tous les goûts. Côté circuits, celui des Saveurs et arômes du Vieux-Montréal propose une vision historique de notre héritage culinaire, de la culture amérindienne à Expo 67. Les amateurs de trattorias, eux, voudront explorer le parcours Savourez la Petite Italie, avec dégustations, qui permet de découvrir ce sympathique quartier où *la vita è bella.*

LA VENUE DES RÉCOLTES DE LAVAL

Si les villes qui ceinturent l'île de Montréal se bâtissent à la vitesse de l'éclair, il reste encore des espaces verts. À quelques minutes à peine de Montréal, ce circuit gourmand traverse les différents secteurs de Laval, d'Auteuil à Duvernay. À la Ferme d'Auteuil, on peut faire l'autocueillette de fraises, de framboises et de tomates. Chez Marc Gibouleau, également à Auteuil, les familles se ruent pour cueillir les belles pommes croquantes, tandis que melon et maïs sucré sont des incontournables du kiosque fermier Au Bien Frais de Duvernay. À vous de créer votre parcours.

RICHARD BASTIEN

Voici un autodidacte de formation... avec 4 étoiles au *Debeur* ! Il est aussi à la tête du Leméac et du bistro du Musée des beaux-arts de Montréal.

DÉCOUVREZ SA CUISINE ICI

Le Mitoyen
652, rue de la Place-Publique,
à Sainte-Dorothée (Laval)

Au cœur de Sainte-Dorothée, cette table respire l'amour indéfectible de son chef pour les éleveurs et maraîchers du coin.

Coup de cœur

LE BŒUF ANGUS DE LA FERME EUMATIMI À QUÉBEC,
vendu au comptoir-boucherie de la ferme et au Marché du Vieux-Port, à Québec.

Incontournable recette de famille et de rencontre entre amis, elle fait partie de tous nos petits-déjeuners du dimanche à la campagne. Même si le chef en moi voudrait parfois changer ce menu de week-end, les amis ne me le permettraient pas...

Tartines aux œufs pochés, saumon fumé et beurre de truffe

{4 portions • Préparation : 5 min • Cuisson : 10 min}

1 t	crème 35 % M.G.	250 ml
3/4 t	beurre non salé, en cubes	180 ml
20 ml	beurre non salé pour le pain	4 c. à thé
1/2 c. à thé	huile de truffe	2 ml
	vinaigre blanc	
8	œufs	8

4	tranches de miche de campagne de 2,5 cm (1 po) d'épaisseur	4
4	tranches de saumon fumé	4
4 c. à thé	caviar de mulet d'Espagne	20 ml
	ciboulette, hachée	
	sel et poivre noir frais moulu	

Beurre de truffe

{1} Dans une casserole, porter la crème à ébullition. En fouettant, incorporer 180 ml (3/4 t) de beurre en cubes. {2} Une fois le beurre fondu, ajouter l'huile de truffe, saler, poivrer et émulsionner le tout au mélangeur. {3} Poursuivre la cuisson sur la cuisinière à feu très doux, en s'assurant de ne pas laisser bouillir.

Œufs pochés

{4} Porter une casserole d'eau salée et légèrement vinaigrée juste sous le point d'ébullition, c'est-à-dire que l'eau doit être frémissante mais sans bouillonner. {5} Y pocher les œufs 3 minutes. Retirer les œufs de l'eau et les plonger dans un bol d'eau glacée. (Au moment de servir, remettre les œufs dans de l'eau chaude salée et les réchauffer 1 minute.)

Tartines

{6} Faire griller les tranches de pain de campagne d'un côté seulement et tartiner de beurre le côté grillé. {7} Garnir chaque tranche de pain de 1 tranche de saumon fumé et de 2 œufs pochés. Napper de beurre de truffe. {8} Décorer chaque portion de 5 ml (1 c. à thé) de caviar et de ciboulette, puis saler et poivrer. Servir aussitôt.

FRANÇOIS LABRECQUE

Adepte de la cuisine régionale, ce chef privilégie les produits locaux, souvent méconnus, de Laval.

DÉCOUVREZ SA CUISINE ICI

Les Menus-Plaisirs
244, boulevard Sainte-Rose, à Laval

Cette romantique auberge au cœur du Vieux-Sainte-Rose propose une table de plaisirs au coin du feu, à côté du bassin d'eau ou sur la véranda.

Vite fait, bien fait, ce potage plaît à tous, petits et grands. Il peut être servi chaud par soir d'hiver ou froid pour une agréable fraîcheur. Je vous suggère d'en préparer huit portions pour pouvoir le déguster le jour même… et les lendemains.

Soupe de panais à la clémentine

{8 portions • Préparation : 20 min • Cuisson : 35 min}

1 c. à tab	huile d'olive	15 ml
1 t	pommes de terre, pelées et coupées en cubes	250 ml
2 t	panais, tranchés en rondelles	500 ml
1 t	céleri-rave, pelé et coupé en morceaux	250 ml
2 t	carottes, tranchées en rondelles	500 ml
1 t	blancs de poireaux, émincés	250 ml
1	clémentine ou quartier d'orange	1
7 t	fond de volaille ou bouillon de poulet	1,75 L
4	branches d'estragon frais	4
1 t	crème 35 % M.G.	250 ml
2 c. à tab	miel	30 ml
	sel et poivre noir frais moulu	

{1} Dans une grande casserole, chauffer l'huile. Ajouter les légumes et cuire jusqu'à légère coloration. {2} Incorporer la clémentine, le fond de volaille et l'estragon. {3} Faire mijoter à feu moyen-élevé 30 minutes, jusqu'à ce que les pommes de terre soient cuites. {4} Passer au mélangeur pour en faire une purée, puis au chinois ou au tamis pour obtenir une texture onctueuse. {5} Ajouter la crème et le miel, remettre sur le feu et réchauffer doucement, en évitant de faire bouillir. Saler et poivrer au goût. {6} Servir garni de yogourt aromatisé ou de quartiers de clémentine en conserve, si désiré.

JEAN-FRANÇOIS CORMIER

Avant d'ouvrir son propre bistro (un deuxième suivra bientôt), ce jeune chef a fait les grandes adresses de Montréal : Chez l'Épicier, Au Pied de Cochon, Le Continental...

DÉCOUVREZ SA CUISINE ICI

Bistro Bienville
4650, rue de Mentana, à Montréal

Avec sa cuisine ouverte, voici un petit bistro du Plateau qui sert une cuisine vraiment conviviale. Le burger au homard est génial.

Je me souviens toujours de l'accueil chaleureux de ma grand-mère, qui m'invitait chaque fois à aller dans la « dépense » pour y découvrir, dans la boîte de métal, les délicieuses galettes à Anette. Aujourd'hui, elles accompagnent mon foie gras...

Galettes à Anette

{12 portions • Préparation : 20 min • Cuisson : de 8 à 10 min}

2 1/2 t	farine (350 g)*	625 ml
2 c. à tab	levure chimique (poudre à lever) (25 g)	30 ml
1/4 t	sucre (50 g)	60 ml
2 1/4 oz	beurre salé, coupé en petits dés	65 g
2	œufs	2
1/2 t	crème 35 % M.G. (125 g)	125 ml

* En boulangerie, les chefs préfèrent peser leurs ingrédients. Si vous avez un pèse-aliments, utilisez les quantités entre parenthèses.

{1} Préchauffer le four à 220 °C (425 °F). {2} Dans un bol, combiner la farine, la levure chimique et le sucre. {3} Ajouter les dés de beurre et mélanger à la main pour obtenir une texture sablonneuse. {4} Dans un autre bol, battre les œufs avec la crème. Incorporer au mélange de farine. {5} Verser sur une surface de travail légèrement farinée et pétrir à la main jusqu'à consistance lisse et homogène. {6} Abaisser la pâte au rouleau jusqu'à une épaisseur d'environ 1,25 cm (1/2 po). {7} Tailler en 12 ronds à l'emporte-pièce. {8} Cuire au four de 8 à 10 minutes. Les galettes doivent demeurer blanches sur le dessus, avec une légère coloration dessous.

Les sardines, ces incontournables de la cuisine méditerranéenne, permettent de préparer des tapas et des salades en quelques minutes. Vous pouvez varier les ingrédients, mais pour bien marquer le contraste, assurez-vous d'utiliser des fruits et des légumes bien croquants.

Salade de sardines, façon tapas

{2 portions • Préparation : 15 min • Cuisson : 10 min}

1	pain ciabatta	1
	huile d'olive	
1/2	bulbe de fenouil et ses pluches (feuilles)	1/2
2 ou 3	radis moyens	2 ou 3
2	poires asiatiques	2
1	boîte (106 g) de sardines à l'huile d'olive	1
1 oz	caviar de Mujold	30 g
	le jus et le zeste de 1/2 citron	
	sel et poivre noir frais moulu	

Croûtons

{1} Préchauffer le four à 180 °C (350 °F). {2} Défaire la ciabatta à la main, en petits morceaux. Disposer les morceaux sur une plaque de cuisson, asperger d'huile, saler et poivrer. {3} Cuire au four jusqu'à ce que les croûtons soient bien dorés. Laisser refroidir.

Salade

{4} À la mandoline de préférence, couper le bulbe de fenouil, les radis et les poires en tranches très fines. {5} Retirer les sardines de leur boîte et les transférer dans un grand bol. {6} Ajouter les légumes et les poires tranchés, le caviar, les pluches de fenouil, les croûtons, le jus et le zeste de citron. Saler et poivrer. {7} Mélanger délicatement de manière à ne pas abîmer les sardines. Dans les assiettes, disposer les portions en forme de petit sapin.

MARIE-FLEUR ST-PIERRE

Inspirée par un passage au Ferreira Café, à Montréal, cette chef québécoise se passionne pour la cuisine espagnole depuis quatre ans.

DÉCOUVREZ SA CUISINE ICI

Tapeo
511, rue Villeray, à Montréal

Avec ses petites bouchées ensoleillées et sa carte de vins espagnols, cette adresse sort des sentiers battus.

Coup de cœur

LE LAPIN
DE STANSTEAD
NOURRI
À LA LUZERNE.
Et Stanstead est l'un des beaux villages du Québec : ça vaut le détour.

GIOVANNI APOLLO

Formé par les grandes toques françaises Bocuse et Troisgros, ce chef a aussi signé le livre *Recettes interdites*.

DÉCOUVREZ SA CUISINE ICI

Bistro Apollo Concept
6422, boulevard Saint-Laurent, à Montréal
Apollo Restaurant - Traiteur
6389, boulevard Saint-Laurent, à Montréal

Apollo se veut à l'avant-garde avec sa carte qui décline les ingrédients selon les cuisines du monde.

J'aime cuisiner cette recette en hiver ou quand je m'ennuie des saveurs de mon enfance. C'est le repas du dimanche en Italie, qui embaume la maison de ses parfums suaves alors que tous se réunissent après la messe.

Lapin à la napolitaine

{4 portions • Préparation : 10 min • Cuisson : 1 h 30 min}

1	lapin de 1 kg (2 lb)	1
2 c. à tab	huile d'olive	30 ml
2	échalotes françaises, hachées	2
5	gousses d'ail, hachées	5
1/2 t	vin blanc sec	125 ml
2	boîtes (796 ml chacune) de tomates en dés	2
1	branche de thym, effeuillée	1
6	feuilles de sauge	6
1 t	olives noires, dénoyautées	250 ml
	sel et poivre noir frais moulu	

{1} Découper le lapin en huit morceaux. {2} Dans une cocotte, chauffer l'huile. Assaisonner le lapin et le saisir à feu vif de tous les côtés. Retirer la viande de la cocotte et réserver. {3} Dans la cocotte à feu moyen, faire revenir les échalotes et l'ail 2 minutes. {4} Mouiller avec le vin blanc, puis ajouter les tomates, les fines herbes, du sel et du poivre. Cuire 20 minutes à couvert. {5} Remettre le lapin dans la cocotte, ajouter les olives et poursuivre la cuisson à couvert 30 minutes à feu doux. {6} Découvrir et cuire encore 30 minutes. Il ne reste qu'à déguster...

Le crabe des neiges est l'un des beaux produits du Québec. Combiné à une mayonnaise méditerranéenne à l'huile d'olive et à la sauce piri-piri, il produit d'étonnantes rillettes à servir en entrée ou à l'apéro.

Rillettes de crabe des neiges, mayonnaise à l'huile d'olive et au piri-piri

{De 6 à 8 portions en apéro • Préparation : 10 min}

Mayonnaise*

1	jaune d'œuf	1
	moutarde de Dijon, au goût	
	quelques gouttes de sauce piri-piri**	
	sel de mer, au goût	
3/4 t	huile d'olive vierge	180 ml

Rillettes

	le zeste de 1 citron bien lavé	
3 c. à tab	ciboulette, émincée	45 ml
3 c. à tab	persil frais, haché	45 ml
1 lb	chair de crabe des neiges	500 g

* Le secret pour réussir la mayonnaise est de s'assurer que tous les ingrédients utilisés sont à la température ambiante.

** La sauce piri-piri est une spécialité portugaise à base de piments forts. Elle peut être remplacée par de la sauce tabasco.

Mayonnaise

{1} Dans un bol, combiner tous les ingrédients de la mayonnaise, sauf l'huile. {2} À l'aide d'un pied mélangeur ou d'un fouet, monter la mayonnaise en ajoutant l'huile graduellement, en filet. {3} Rectifier l'assaisonnement.

Rillettes

{4} À la mayonnaise, ajouter le zeste de citron et les fines herbes. {5} Très délicatement, y incorporer le crabe des neiges jusqu'à l'obtention d'une texture semblable à celle de rillettes. {6} Servir avec du pain ou des croûtons de pain de maïs portugais.

HELENA LOUREIRO

Apprentie cuisinière à 11 ans dans le resto familial, cette chef proprio a étudié à Lisbonne et au Québec avant d'avoir pignon sur rue à Montréal.

DÉCOUVREZ SA CUISINE ICI

Portus Calle

4281, boulevard Saint-Laurent, à Montréal

Située au cœur du quartier portugais de Montréal, cette *marisqueira* se spécialise dans les poissons et fruits de mer.

ALONSO ORTIZ

Né au Mexique, Alonso Ortiz a travaillé au Pays basque avant d'ouvrir son propre resto à Montréal.

DÉCOUVREZ SA CUISINE ICI

Restaurant Pintxo
256, rue Roy Est, à Montréal

Un coin du Pays basque au cœur de Montréal ! Pintxo régale les convives avec ses bouchées qui vont des plus rustiques aux plus raffinées.

Quand j'étais enfant, ma mère cuisinait cette recette typique de l'Amérique latine, la *Milanesa de res empanizada*. La sauce chipotle, elle, est très mexicaine. Quand je retourne au Mexique, c'est toujours avec plaisir que maman la fait pour moi, et je m'en délecte toujours autant.

Escalope de bœuf panée, sauce chipotle et purée de pommes de terre

{4 portions • Préparation : 20 min • Cuisson : 25 min}

2	œufs	2
1 1/2 t	chapelure	375 ml
4	escalopes de bœuf	4
5 c. à tab	huile d'olive	75 ml
3	piments chipotle (vendus en conserve)	3
1/2 t	mayonnaise	125 ml
4	pommes de terre, pelées	4
1/3 t	crème 15 % M.G.	80 ml
	sel et poivre noir frais moulu	

Escalopes de bœuf

{1} Dans un bol, battre les œufs. {2} Dans une assiette, étaler la chapelure. {3} Saler et poivrer les escalopes, les passer dans les œufs battus, puis dans la chapelure. {4} Dans un poêlon, chauffer l'huile à feu vif. Y faire frire les escalopes de chaque côté jusqu'à la cuisson désirée.

Sauce chipotle

{5} Au mélangeur ou dans un mortier, broyer les piments chipotle. {6} Incorporer la mayonnaise en mélangeant bien.

Purée de pommes de terre

{7} Dans une grande casserole d'eau bouillante salée, cuire les pommes de terre environ 15 minutes ou jusqu'à tendreté. {8} Égoutter les pommes de terre et les remettre dans la casserole. Ajouter la crème, saler, poivrer et réduire en purée.

{9} Dresser les escalopes et la purée de pommes de terre dans quatre assiettes. Servir la sauce chipotle en accompagnement, dans un petit bol. *Buen provecho !*

Le traditionnel filet de bœuf prend une autre tournure grâce à la sauce japonaise et à ses ingrédients qui décoiffent. Le genre de cuisine qui rafraîchit et qui ravit les invités. En plus, c'est facile et prêt en un rien de temps.

Filets de bœuf à la japonaise

{4 portions • Préparation : 10 min • Cuisson : de 16 à 20 min}

4	filets de bœuf de 225 g (8 oz) chacun	4
1/2 t	huile de canola ou d'arachide pour la sauce	125 ml
1 c. à tab	huile de canola ou d'arachide pour la cuisson des filets	15 ml
1 c. à tab	grains de poivre noir	15 ml
3 ou 4	anis étoilés entiers	3 ou 4
1 c. à tab	graines de coriandre	15 ml
1/4 c. à thé	poivre de Sichuan	1 ml
1/2 c. à thé	pâte de cari douce ou poudre de cari	2 ml
1 c. à tab	miel ou sirop d'érable	15 ml
1/2 t	madère ou vin rouge	125 ml
1 c. à tab	vinaigre de riz	15 ml
3/4 t	fond de veau	180 ml
2 c. à tab	beurre	30 ml
	sel et poivre noir frais moulu	

{1} Sortir la viande du réfrigérateur 15 minutes avant la cuisson et laisser tempérer.

Sauce à la japonaise

{2} Entre-temps, dans un poêlon, chauffer 125 ml (1/2 t) d'huile, les grains de poivre, l'anis étoilé, la coriandre et le poivre de Sichuan environ 2 minutes, pour en libérer les parfums. {3} Incorporer le cari et le miel. {4} Déglacer avec le madère et le vinaigre de riz, puis laisser réduire de moitié à feu moyen-vif. {5} Incorporer le fond de veau et laisser réduire jusqu'à consistance épaisse et sirupeuse. {6} Retirer du feu et passer au chinois ou au tamis fin. Incorporer le beurre en fouettant. Réserver.

Filets de bœuf

{7} Badigeonner les filets de bœuf avec le reste de l'huile, saler et poivrer. {8} Dans un autre poêlon à feu vif, saisir la viande de 3 à 4 minutes par côté ou jusqu'à la cuisson désirée. {9} Transférer les filets dans une assiette, couvrir de papier d'aluminium et laisser reposer 5 minutes. {10} Servir les filets nappés de sauce. Accompagner d'épinards et d'une purée de pommes de terre relevée d'un soupçon de wasabi, si désiré.

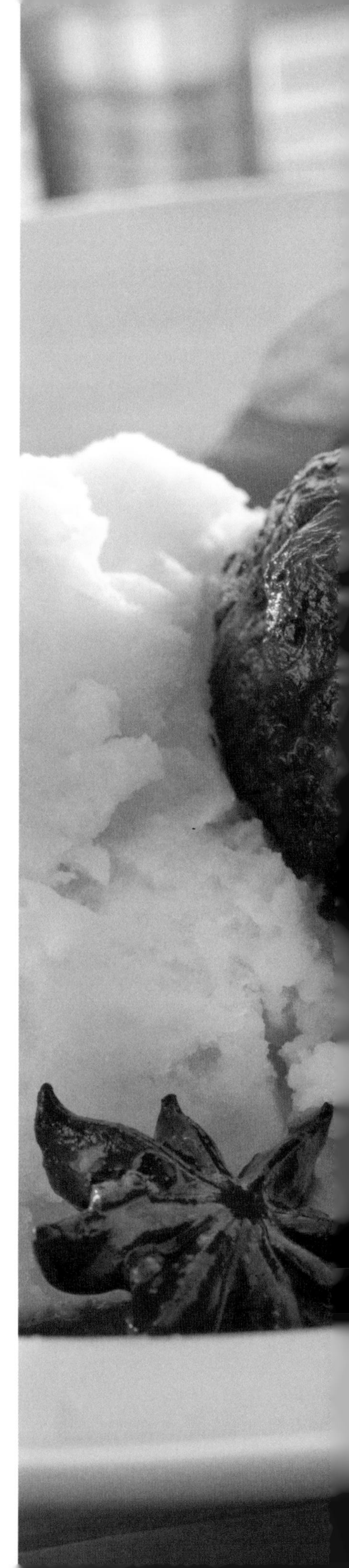

BENOIT HOGUE

Ce chef-traiteur aime combiner les recettes traditionnelles aux saveurs du moment, particulièrement celles d'inspiration asiatique.

DÉCOUVREZ SA CUISINE ICI

La Brigade volante
1414, rue Notre-Dame Ouest,
à Montréal

Situé à même une boutique gourmande, ce bistro urbain propose une cuisine du marché à savourer sur place ou à emporter.

Coup de cœur

LA GELÉE DE SAPIN DES JARDINS SAUVAGES, **un producteur que vous retrouverez en ligne… et ici en page 164.**

MARC-ANDRÉ ROYAL

Après avoir travaillé à Londres, à Vancouver et à New York, ce chef est une valeur montante. Mieux vaut réserver.

DÉCOUVREZ SA CUISINE ICI

Restaurant Le St-Urbain
96, rue Fleury Ouest
(coin Saint-Urbain), à Montréal

Ce sympathique resto de quartier sert une cuisine du marché axée sur les produits de saison.

J'ai créé cette recette pour la visite, quand je ne veux pas trop me casser la tête. La cuisson exige toute une journée, mais c'est facile à réaliser et pas mal impressionnant. Les gens adorent !

Mon jarret de bœuf 12 heures

{De 6 à 8 portions • Préparation : 30 min • Cuisson : 12 h 15 min}

1	jarret de bœuf	1
3 c. à tab	beurre ou huile	45 ml
1	bouteille (750 ml) de vin rouge	1
8 t	bouillon de bœuf	2 L
3 ou 4	feuilles de laurier	3 ou 4
1	bulbe d'ail, coupé en deux	1
1	botte de thym	1
1 lb	carottes nantaises	500 g
18	oignons perles rouges	18
1 lb	topinambours	500 g
	sel et poivre noir frais moulu	

{1} Préchauffer le four à 150 °C (300 °F). {2} Bien saler et poivrer le jarret. {3} Dans un grand poêlon à feu vif, chauffer 30 ml (2 c. à tab) de beurre ou d'huile et y saisir le jarret sur toutes les faces. {4} Transférer le jarret dans une grosse marmite et ajouter le vin, le bouillon, le laurier, l'ail et le thym. {5} Porter le tout à ébullition sur la cuisinière, puis déposer au four préchauffé et poursuivre la cuisson 12 heures.

Légumes

{6} Peler les carottes, les oignons et les topinambours. Couper les carottes et les topinambours en gros morceaux. {7} Dans un poêlon, faire chauffer le reste de beurre ou d'huile. Y faire colorer légèrement les légumes. Verser le tout dans la marmite 30 minutes avant la fin de la cuisson du jarret.

Service

{8} Retirer le jarret et les légumes de la marmite et réserver au chaud. {9} Sur la cuisinière à feu vif, faire réduire le bouillon de moitié. Passer au chinois ou au tamis. {10} Dans un grand plat de service, dresser le jarret entouré des légumes. Servir la sauce en accompagnement, dans un saucier.

Cette recette représente ma vision de la pâtisserie : créer des desserts autour des fruits de saison où la fraîcheur est omniprésente. Facile à réaliser, ce dessert sera le partenaire idéal de votre barbecue estival.

PATRICE DEMERS

L'école hôtelière affichant complet en cuisine, ce chef a dû commencer par la pâtisserie, qui l'a conquis. Il a aussi œuvré aux Chèvres et au Laloux.

Salade de fraises et son crémeux de yogourt au chocolat blanc

{8 portions • Préparation : 15 min • Réfrigération : 8 h}

2/3 t	crème 35 % M.G.	160 ml
1/2 lb	chocolat blanc en pastilles	250 g
1 t	yogourt type méditerranéen (10 %)	250 ml
3 c. à tab	jus de citron	45 ml
5 c. à tab	miel	75 ml
1/4 t	huile d'olive	60 ml
24	fraises du Québec	24
	pousses d'herbes au choix : coriandre, mélisse, thym citronné, basilic grec…	

{1} Dans une casserole, porter la crème à ébullition. Déposer les pastilles de chocolat dans un bol. Retirer la crème du feu et la verser sur le chocolat. Laisser reposer 1 minute. {2} À l'aide d'un fouet, émulsionner la crème et le chocolat pour obtenir un mélange parfaitement lisse. Incorporer le yogourt et bien mélanger. {3} Couvrir de pellicule plastique et laisser figer au réfrigérateur au moins 8 heures.

Salade de fraises

{4} Dans un cul-de-poule, fouetter ensemble le jus de citron, le miel et l'huile d'olive. {5} Couper les fraises en quatre et les arroser de quelques cuillérées de vinaigrette. {6} Répartir la salade de fraises dans huit verres, couvrir d'une bonne cuillérée de crémeux de yogourt et terminer par quelques pousses d'herbes fraîches.

DÉCOUVREZ SA CUISINE ICI

Newtown
1476, rue Crescent, à Montréal

L'ancien resto de Jacques Villeneuve a remis la grande cuisine à l'honneur, faisant de Crescent un nouvel arrêt obligé.

Coup de cœur

J'adore le fromage
et j'ai un faible pour
ALFRED LE FERMIER
DE LA FROMAGERIE
LA STATION,
à Compton.

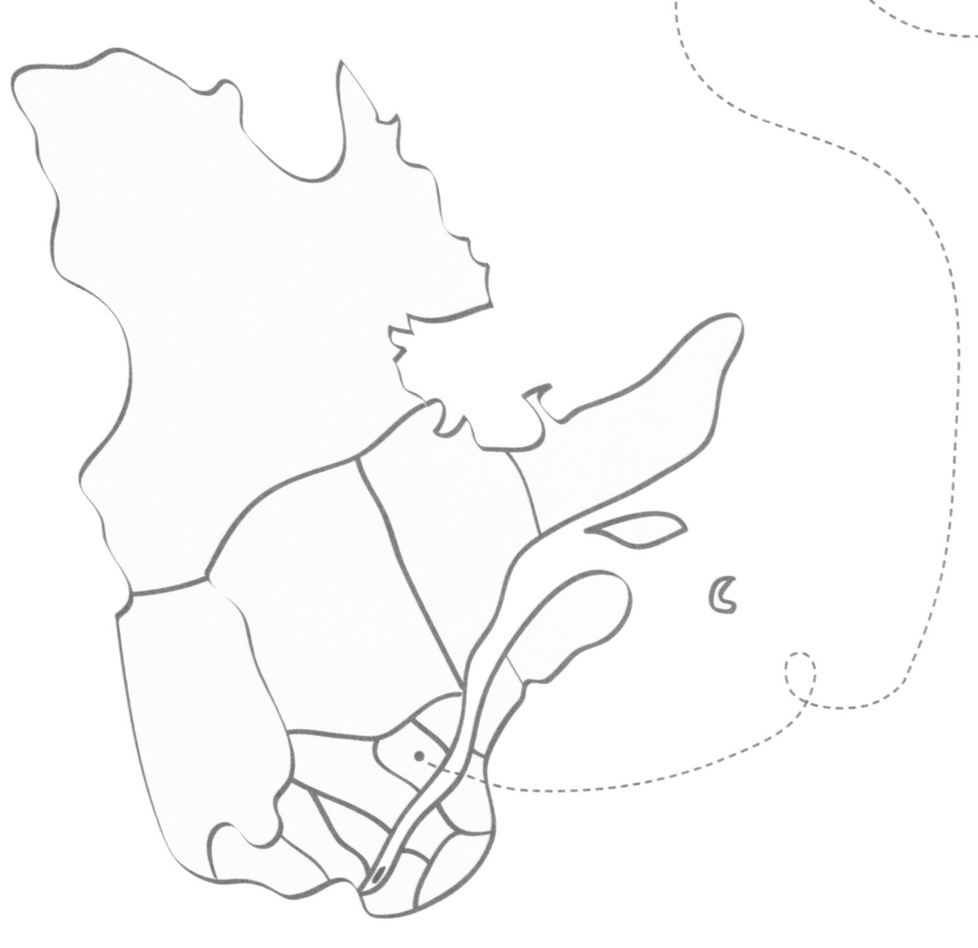

{Grand Québec}

Au-delà du Vieux-Québec et de sa centaine de tables en tout genre, la région de la Capitale-Nationale est riche en découvertes gastronomiques. Oies, canards, chèvres, sangliers : les élevages y sont nombreux et diversifiés. Un parcours gourmand réjouit les amateurs de chocolat, de pains artisanaux, de fromages fermiers. De festival en marché public, l'agrotourisme acquiert ici ses lettres de noblesse.

Festival de la gastronomie de Québec

En avril, ce happening gourmand reçoit 200 exposants pour exciter nos papilles. Au menu, dégustation de produits fins québécois, combats de chefs, dévoilement des alcools lauréats à la Coupe des Nations...

Fête des vignobles de la Côte-de-Beaupré et de l'île d'Orléans

Début septembre, quatre vignobles vous proposent des visites guidées, des balades en tracteur, des dégustations de vins et de produits du terroir ainsi que des soupers gastronomiques.

Marchés publics

Pour découvrir les producteurs locaux, rien ne vaut une visite dans les nombreux marchés publics de la Capitale-Nationale : Vieux-Port de Québec, Deschambault, Sainte-Foy, Marché aux saveurs de la Côte-de-Beaupré, etc.

L'île d'Orléans

Cassis

UN TRÉSOR D'ÎLE

Ah, les fraises de l'île d'Orléans ! Voilà sans nul doute l'un des produits les plus connus de notre terroir, associé à cette île sous le vent dont la devise proclame : « J'accueille et je nourris ». Pas étonnant que l'épicurien y trouve mille trésors à se mettre sous la dent. Vin de cassis de Cassis Monna & filles, mistelle de raisins du Vignoble de Sainte-Pétronille, gelées de cidre aromatisées de la Cidrerie Verger Bilodeau : l'île d'Orléans, c'est plus que des petits fruits. On y cultive même le bok choy ! Pour profiter encore davantage de votre balade en auto, il est même possible de louer un audioguide d'une durée de 2 h 30 min qui guidera votre visite des sites patrimoniaux et autres. Sinon, recherchez le logo « Savoir-faire île d'Orléans » pour des produits garantis d'ici.

LE PARCOURS GOURMAND

Le Parcours gourmand de la région de Québec met en vedette cinq circuits agrotouristiques qui regroupent plus de 50 restaurants, producteurs, vergers, vignobles et autres artisans du terroir. De Portneuf–Jacques-Cartier à la Côte-de-Beaupré, en passant par l'île d'Orléans et la ville de Québec, chaque membre du Parcours gourmand vous propose de goûter un savoir-faire authentique dans un site au cachet unique. À Québec même, en plus des restos, découvrez une conserverie avec plus de 300 produits en petits pots gourmands. Ou offrez-vous un point de vue majestueux sur le Saint-Laurent en visitant la Ferme Le Comte de Roussy sur la Côte-de-Beaupré.

DES ÉCONOMUSÉES SELON VOS GOÛTS

Vous aimez faire la tournée des musées ? En voici quatre qui s'adressent autant à votre estomac qu'à votre intellect ! Chez Aliksir, l'économusée de l'herboristerie, à Grondines, explorez les secrets de la distillerie et des huiles essentielles. Au Choco-Musée Érico, rue Saint-Jean à Québec, épiez les chocolatiers au travail. À l'Économusée de la liquoristerie de Cassis Monna & filles, sur l'île d'Orléans, apprenez tout de la récolte de ce délicieux petit fruit. Enfin, au Musée de l'abeille, économusée du miel, situé à Château-Richer, partez en safari Abeille dans les ruches.

Les gelées de légumes de la Ferme Guillaume Létourneau, à l'île d'Orléans

Les fromages de chèvre de la Ferme Tourilli, à Saint-Raymond

Le canard au naturel de la Ferme de Julien Dupont, à Stoneham

Ne nécessitant que quelques ingrédients, cette recette réussit à surprendre en mariant le veau, le gingembre et la lime. Servez-la à l'occasion d'un repas entre amis, avec un bon Viognier californien.

Médaillons de veau et leur sauce au gingembre

{4 portions • Préparation : 20 min • Cuisson : 20 min}

2	filets de veau de 300 g (10 oz) chacun	2
1	lime	1
1/4 t	gingembre frais	60 ml
3 c. à tab	huile d'arachide	45 ml
1/4 t	échalotes françaises, hachées	60 ml
1/2 t	vin blanc	125 ml
1 1/2 t	fond de veau	375 ml
2 c. à tab	beurre	30 ml
4 t	épinards, lavés et équeutés	1 L
	sel et poivre noir frais moulu	

{1} Dégraisser et dénerver les filets de veau. Les découper en huit médaillons et réserver. {2} Peler la lime à vif. Avec un couteau bien tranchant, retirer les quartiers de chair (les suprêmes). Réserver.

Sauce au gingembre

{3} Éplucher le gingembre et le couper en julienne. {4} Dans une casserole, faire chauffer 15 ml (1 c. à tab) d'huile d'arachide. Y faire suer le gingembre et les échalotes 2 minutes. {5} Ajouter le vin blanc et faire réduire complètement. {6} Incorporer le fond de veau et laisser réduire de nouveau, de façon à obtenir 180 ml (3/4 t) de sauce. Rectifier l'assaisonnement et réserver au chaud.

Médaillons de veau

{7} Dans un poêlon, faire fondre 15 ml (1 c. à tab) chacun de beurre et d'huile. Y faire tomber les épinards tout en gardant les feuilles entières. Assaisonner, retirer du poêlon et réserver. {8} Ajouter 15 ml (1 c. à tab) chacun de beurre et d'huile dans le poêlon. Y saisir et cuire les médaillons de veau de 3 à 4 minutes de chaque côté. Vous voulez qu'ils soient cuits mais moelleux. Saler et poivrer en fin de cuisson.

{9} Dresser les épinards au milieu de chaque assiette de service. Déposer deux médaillons dans chacune. {10} Garnir de suprêmes de lime et verser la sauce au gingembre autour. Servir avec un riz, si désiré.

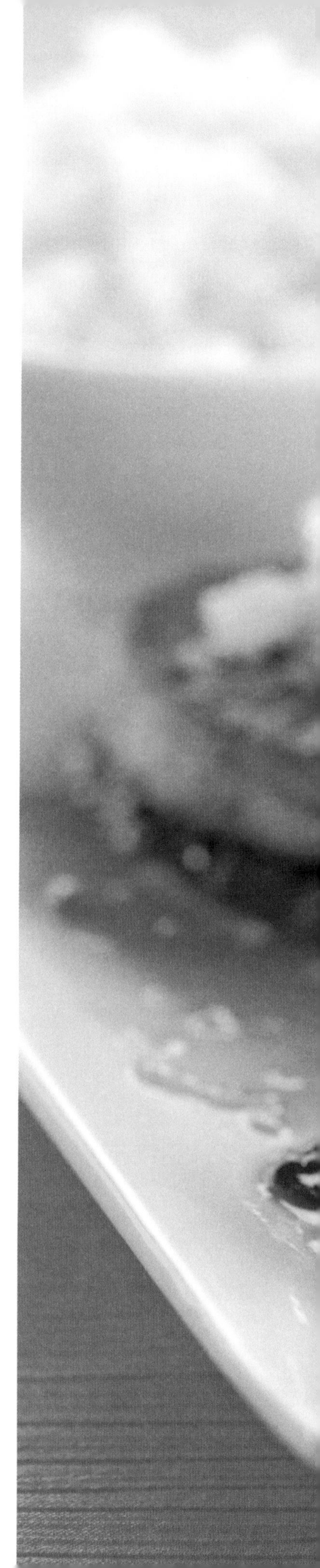

JEAN SOULARD

Élevé entre l'auberge familiale et la boulangerie du village, ce « maître cuisinier de France » a signé plusieurs livres de cuisine et régné à la télé.

DÉCOUVREZ SA CUISINE ICI

Le Château Frontenac
1, rue des Carrières, à Québec

Avec trois restos et un bar-salon, Le Château vous propose sa vision de la très fine cuisine... et une vue unique sur le fleuve.

JEAN-LUC BOULAY

Chevalier de l'Ordre national du mérite agricole de France, ce chef a reçu l'un des premiers Prix du Gouverneur général pour les arts de la table.

DÉCOUVREZ SA CUISINE ICI

Restaurant Le Saint-Amour
48, rue Sainte-Ursule,
dans le Vieux-Québec

Spécialisé dans les produits régionaux, c'est le resto qui a accueilli Paul McCartney à l'occasion de son passage au 400e de Québec.

J'aime cette recette parce qu'elle est à la fois nutritive, savoureuse et simple à réaliser avec des produits que l'on trouve partout. C'est ma recette passe-partout, celle que toute la famille déguste avec plaisir, même ma petite-fille.

Pavé de saumon à la vapeur de pesto, poêlée de champignons et d'épinards à la crème de parmesan

{4 portions • Préparation : 10 min • Cuisson : 15 min}

4	pavés de saumon de 150 g (5 oz) chacun	4
4 c. à thé	pesto maison ou du commerce	20 ml
4 c. à thé	huile d'olive	20 ml
1	barquette (200 g) de champignons de Paris, émincés	1
5 oz	jeunes épinards, bio de préférence	150 g
7 oz	crème 35 % M.G.	200 ml
1 3/4 oz	fromage parmesan frais râpé	50 g
1 c. à tab	noix de pin, grillées (facultatif)	15 ml
	sel et poivre noir frais moulu	

{1} Faire bouillir de l'eau dans une grande casserole. {2} Saler et poivrer les pavés de saumon, puis étaler sur chacun 5 ml (1 c. à thé) de pesto. {3} Déposer le saumon dans une grande marguerite posée dans la casserole d'eau bouillante. {4} Couvrir et cuire à la vapeur environ 5 minutes, selon l'épaisseur du saumon et la cuisson désirée.

Poêlée de champignons et d'épinards

{5} Entre-temps, dans un poêlon très chaud, ajouter l'huile d'olive et y faire dorer les champignons. {6} Incorporer les épinards en remuant bien et les faire tomber quelques secondes. Saler et poivrer. {7} Ajouter la crème, porter le tout à ébullition, incorporer le parmesan et cuire jusqu'à ce que le fromage soit fondu.

Service

{8} Diviser les légumes en sauce dans quatre assiettes bien chaudes et poser un pavé de saumon sur cette sauce. Garnir de noix de pin grillées, si désiré. Pour un repas copieux, servir avec des pommes de terre ou des pâtes.

Voilà mon entrée « dépanneur », inventée avec les ingrédients du frigo un soir où je recevais des amis et où je me suis retrouvé pris de court. J'en aime surtout la fraîcheur et la simplicité.

Salade de saumon fumé à la méditerranéenne

{4 portions • Préparation : 15 min}

Vinaigrette

	le jus de 1 citron	
1 c. à thé	moutarde de Dijon	5 ml
1/2 t	huile d'olive vierge extra	125 ml
	pincée de sel	
	poivre noir frais moulu	

Salade

2	oranges	2
1 1/2 t	jeune roquette	375 ml
1	bulbe de fenouil, émincé finement	1
16	tranches de saumon fumé	16
1/3 t	copeaux de parmesan	80 ml

Vinaigrette

{1} Mélanger le jus de citron et la moutarde. {2} Au fouet, incorporer graduellement l'huile d'olive en filet. Ajouter le sel et quatre tours de moulin à poivre. Réserver.

Salade

{3} Éplucher les oranges à vif. Glisser un petit couteau entre les membranes pour retirer la chair d'orange (les suprêmes). {4} Dans un saladier, combiner les suprêmes d'orange, la roquette et le fenouil. Verser la vinaigrette et mélanger délicatement. {5} Tapisser quatre assiettes de saumon fumé. Garnir le centre de salade, parsemer de parmesan et donner quatre tours de moulin à poivre.

JEAN-FRANÇOIS HOUDE

Fidèle à Québec, ce chef y flaire la tendance depuis 20 ans, toujours dans le même resto.

DÉCOUVREZ SA CUISINE ICI

Resto et bar à vin Aviatic Club
450, rue de la Gare-du-Palais, Vieux-Port de Québec

Carte internationale, ambiance décontractée et bar à vin font de l'Aviatic Club une destination populaire.

Coup de cœur

LE PORCELET DE LAIT GASPOR DES FERMES SAINT-CANUT, **vendu en boucherie. Demandez-le.**

Le porc est un aliment qui peut se marier à tout, surtout l'automne, quand commence l'abondance folle des légumes dans nos marchés publics. J'aime la sobriété de ce plat qui devient magique avec du maïs frais. À déguster avec des gens qu'on aime beaucoup.

Rôti de longe de porc et maïs en crème

{4 portions • Préparation : 15 min • Cuisson : 1 h}

1/2 t	beurre	125 ml
1	longe de porc de 750 g (1 1/2 lb)	1
8	branches de thym	8
1	bulbe d'ail, gousses séparées mais non épluchées	1
4 ou 5	épis de maïs	4 ou 5
2	oignons moyens, émincés	2
4 t	lait	1 L
1	piment chipotle (vendu en conserve)	1
	sel de mer et poivre noir frais moulu	

{1} Préchauffer le four à 180 °C (350 °F). {2} Dans une cocotte, faire fondre le tiers du beurre et saisir le porc sur toutes ses faces afin qu'il soit bien rôti. {3} Glisser 4 branches de thym et les gousses d'ail sous le porc. {4} Assaisonner de sel de mer et déposer le reste du thym sur le dessus. Cuire au four préchauffé 35 minutes. {5} Retirer le porc du four et le laisser reposer de 10 à 15 minutes à couvert avant de le trancher.

Maïs en crème*

{6} Entre-temps, égrener les épis de maïs à l'aide d'un couteau. {7} Dans une casserole, faire fondre le reste du beurre et y faire suer les oignons 4 minutes, sans coloration. {8} Ajouter le maïs et le faire suer 10 minutes en remuant à quelques reprises. Si le mélange devient trop sec, ajouter un peu de beurre. {9} Verser juste assez de lait pour couvrir le maïs cuit et laisser réduire de moitié. {10} Ajouter le chipotle, saler et continuer d'incorporer le lait jusqu'à ce que le maïs soit cuit, environ 40 minutes, en remuant régulièrement.

{11} Trancher le porc et déposer les tranches dans des assiettes creuses. Garnir de maïs en crème et poivrer.

* Ce maïs en crème peut se transformer selon les goûts de chacun : on pourrait y ajouter du parmesan râpé, une herbe fraîche comme le basilic ou même du saucisson en petits dés.

DAVID FORBES

Du Leméac à La Bastide, de Pohénégamook à Québec, ce jeune chef partage sa passion pour une cuisine nutritive et festive.

DÉCOUVREZ SA CUISINE ICI

Le Cercle
228, rue Saint-Joseph Est,
à Québec

Non seulement ce resto invite à goûter et à boire, mais il permet aussi de travailler dans son coin ou de relaxer dans un espace de découverte artistique.

GUILLAUME BARRY

C'est parce qu'il passait son temps dans les restaurants que ce chef a choisi d'y faire carrière. Il a œuvré chez Guy Savoy et au Ritz de Paris, rien de moins.

DÉCOUVREZ SA CUISINE ICI

Le Moine Échanson restaurant et boîte à vins
585, rue Saint-Jean, à Québec

Au fil des saisons, la maison vous propose une cuisine inventive en parfait accord avec sa cave de vins de culture biodynamique.

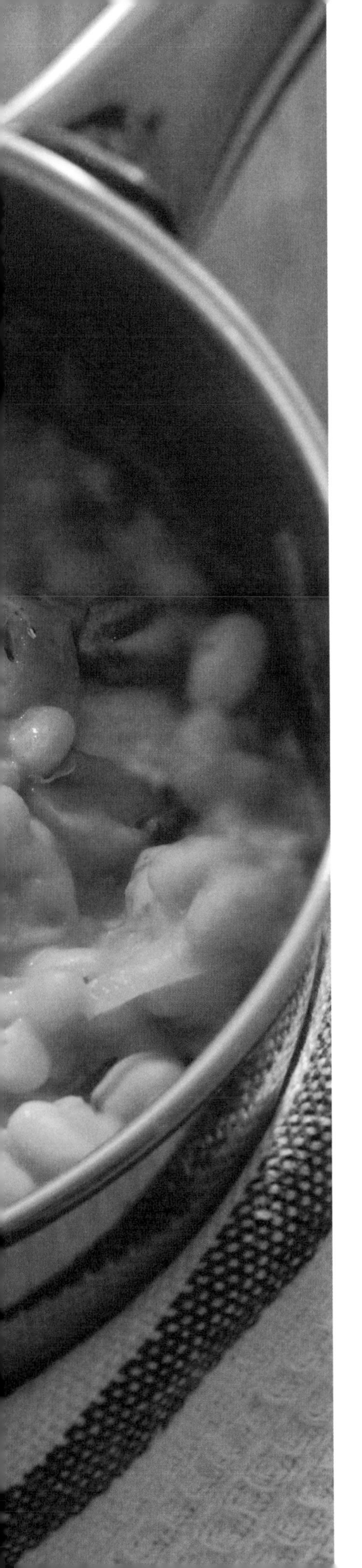

J'aime les plats généreux qui se partagent autour d'une bouteille de vin. Je suis un adepte du cassoulet, et celui-ci est l'un de mes préférés. Il est économique et beaucoup plus simple à préparer que la version traditionnelle. Servez-le avec un bon bourgogne blanc.

Cassoulet ardéchois

{4 portions • Préparation : 30 min • Trempage : 12 h • Cuisson : 1 h}

12 oz	haricots tarbais (aussi appelés haricots blancs ou haricots cocos)	350 g
5	clous de girofle	5
2	gros oignons	2
2	branches de thym frais	2
2	carottes	2
1	morceau de 400 g (13 oz) de bacon avec la couenne	1
1	noisette de beurre	1
1	saucisson à l'ail de 400 g (13 oz)	1
1/2 t	vin blanc sec	125 ml
1/4 t	crème 35 % M.G.	60 ml
	sel	

Haricots

{1} La veille, mettre les haricots à tremper dans un grand volume d'eau. Les laisser reposer 12 heures. {2} Égoutter les haricots, puis les transférer dans une grande casserole d'eau froide non salée. {3} Piquer les clous de girofle dans un oignon. Ajouter l'oignon dans la casserole avec 1 branche de thym, 1 carotte entière et la couenne du bacon. {4} Cuire à petits bouillons de 30 à 40 minutes.

Cassoulet

{5} Entre-temps, émincer le deuxième oignon et couper la deuxième carotte en fines rondelles. {6} Dans une autre grande casserole, faire fondre le beurre, puis ajouter l'oignon émincé, les rondelles de carotte et l'autre branche de thym. Faire suer à feu doux 15 minutes. {7} Couper en dés le bacon et le saucisson. Les ajouter aux légumes dans la casserole et cuire encore 5 minutes. {8} Verser le vin blanc et laisser réduire complètement, toujours à feu doux. {9} Lorsque les haricots sont presque cuits, mais encore légèrement croquants en bouche, les retirer à l'aide d'une écumoire et les égoutter. Réserver. {10} À feu vif, faire réduire l'eau de cuisson des haricots, avec les aromates (légumes et couenne de bacon), jusqu'à ce qu'il en reste environ 500 ml (2 t). {11} Jeter les aromates et incorporer l'eau de cuisson qui reste au mélange de saucisson. {12} Incorporer les haricots réservés et la crème*, puis chauffer à petits bouillons jusqu'à l'obtention d'un mélange crémeux. {13} Goûter et rectifier l'assaisonnement, si nécessaire (le saucisson à l'ail est déjà très salé).

* Préparé la veille, ce cassoulet n'en sera que plus délicieux. Ajouter la crème juste avant de servir.

Il est plutôt rare de cuire un carré d'agneau sur le barbecue, encore plus quand on l'accompagne d'une traditionnelle sauce au porto et de bleu, comme dans les bons restos. Cette recette réalisable en un tournemain aura tout un effet sur vos invités.

Carré d'agneau au bleu et au porto sur le barbecue

{4 portions • Préparation : 30 min • Macération : 2 h • Cuisson : 15 min}

4	carrés d'agneau	4
	huile d'olive	
	herbes fraîches (thym, romarin, basilic), au goût	
2 3/4 oz	fromage bleu	80 g

Sauce au porto

1 t	porto	250 ml
4	champignons, coupés en dés	4
1	petite carotte, coupée en dés	1
2	feuilles de laurier	2
1	branche de thym	1
4	gousses d'ail, hachées	4
2 t	fond de veau	500 ml

{1} Déposer les carrés d'agneau dans un grand bol. Verser assez d'huile d'olive pour les recouvrir légèrement. Parsemer d'herbes fraîches au choix. {2} Laisser mariner 2 heures au réfrigérateur.

Sauce au porto

{3} Dans une petite casserole, mélanger tous les ingrédients de la sauce, sauf le fond de veau. Faire réduire de moitié à feu vif. {4} Ajouter le fond de veau et laisser réduire de moitié, ou jusqu'à la consistance désirée. {5} Passer au tamis et réserver au chaud.

Carrés d'agneau

{6} Préchauffer le barbecue à feu moyen-élevé. {7} Retirer les carrés d'agneau de la marinade et essuyer l'excédent. Les déposer sur le gril et les saisir 4 minutes de chaque côté (pour un meilleur goût, l'agneau devrait être servi rosé). {8} Transférer chaque carré dans une assiette de service et napper de sauce. {9} Dégourdir le fromage bleu 20 secondes au micro-ondes, le trancher en quatre et déposer une tranche sur chaque carré d'agneau. Servir avec votre choix de légumes.

SYLVAIN LAMBERT

Voilà plus de 15 ans que ce chef fait jazzer les papilles de Québec avec sa cuisine axée sur la générosité des saveurs.

DÉCOUVREZ SA CUISINE ICI

Le Bistango
1200, avenue Germain-des-Prés,
à Sainte-Foy

Resto associé au très tendance Hôtel Alt de Québec, le Bistango est couru du matin au soir par la faune gourmande de la capitale.

Coup de cœur

LES PIGEONNEAUX DE L'ÉLEVAGE TURLO À SAINT-GERVAIS, **une volaille sous-utilisée à découvrir.**

MATHIEU BRISSON

Après avoir travaillé avec plusieurs grands chefs dans le monde, il a ouvert son bistrot à Québec.

DÉCOUVREZ SA CUISINE ICI

Bistrot Le Clocher penché
203, rue Saint-Joseph Est, à Québec

Avec sa cuisine sans artifices, ce bistro contemporain conjugue valeurs artisanales et réputation branchée.

La rhubarbe est délicieuse en pâtisserie, surtout quand on relève son goût acidulé d'une généreuse touche de sucre d'érable. Un gâteau unique aux ingrédients pourtant traditionnels.

Gâteau à la rhubarbe et à l'érable

{8 portions • Préparation : 10 min • Cuisson : de 30 à 40 min}

2 1/4 t	sucre d'érable	560 ml
1 c. à tab	bicarbonate de soude	15 ml
2 t	farine tout usage	500 ml
2 t	rhubarbe, coupée en dés	500 ml
1 t	lait	250 ml
2	œufs	2
1/2 c. à thé	extrait de vanille	2 ml
1 1/3 t	beurre non salé, fondu	330 ml
1/2 c. à thé	cannelle moulue	2 ml
	beurre et farine, pour le moule	

{1} Placer une grille au milieu du four et le préchauffer à 180 °C (350 °F). {2} Beurrer et fariner un moule à gâteau. {3} Dans un grand bol, mélanger 430 ml (1 3/4 t) de sucre d'érable, le bicarbonate de soude, la farine et la rhubarbe. {4} Incorporer le lait délicatement. {5} Ajouter les œufs, la vanille et le beurre fondu, puis les incorporer délicatement. {6} Verser le mélange dans le moule. {7} Combiner le reste de sucre d'érable et la cannelle. Saupoudrer sur la pâte à gâteau et déposer le moule sur la grille au milieu du four. {8} Cuire au four préchauffé de 30 à 40 minutes ou jusqu'à ce qu'un cure-dents inséré au centre du gâteau en ressorte propre.

Oui, c'est inattendu de voir un chef cuisiner avec du lait Carnation, mais, pour les rages de sucre des enfants, rien ne bat le sucre à la crème et au sirop d'érable. Une belle recette facile qui nous réconcilie avec nos vieilles traditions québécoises.

Sucre à la crème style cabane

{Environ 12 carrés • Préparation : 5 min • Cuisson : 15 min • Réfrigération : 1 h}

2 t	cassonade	500 ml
1 t	sucre	250 ml
1	boîte (370 ml) de lait évaporé Carnation	1
1/2 lb	beurre	250 g
1 c. à thé	extrait de vanille	5 ml
1 t	sirop d'érable	250 ml

{1} Combiner tous les ingrédients dans une grande marmite. {2} Cuire à feu doux 15 minutes. {3} À l'aide d'une spatule, étendre le mélange sur une plaque à biscuits et laisser refroidir au réfrigérateur ou à la température ambiante. {4} Couper en carrés et... bonne dégustation !

MARTIN GAGNÉ

Algonquin de quatrième génération, ce sorcier gastronomique a cuisiné le terroir du Manoir Hovey au Manoir St-Castin, accueillant même ses convives sous le tipi.

DÉCOUVREZ SA CUISINE ICI

Restaurant La Traite, Hôtel-Musée Premières Nations
5, place de la Rencontre Ekionkiestha', à Wendake

Ce restaurant conjugue les traditions millénaires de chasse et de pêche aux plaisirs d'une table champêtre raffinée.

Coup de cœur

SAVEURS DE LA FORÊT BORÉALE, LES ÉPICES D'ORIGINA, **vendues sur Internet et dans certaines boutiques de Québec.**

PHILIP RAE

Aux commandes de cette table huppée depuis 1994, ce chef-aubergiste travaille à faire découvrir les produits de l'île d'Orléans.

DÉCOUVREZ SA CUISINE ICI

Auberge-restaurant Le Canard huppé
2198, chemin Royal,
à Saint-Laurent (île d'Orléans)

Pour découvrir les multiples arômes de l'île ensorcelée, voici un arrêt gourmand riche en découvertes.

Facile et sans prétention, ce smoothie plaît aux petits et aux grands. La menthe ajoute une dimension différente, alors que le germe de blé est une source élevée de fer. Génial au petit-déjeuner ou par temps chaud, quand le vent souffle sur l'île.

Smoothie de fruits à la menthe

{De 4 à 5 portions • Préparation : 5 min}

4	bananes	4
1	casseau de fraises (environ 250 g/8 oz)	1
1	casseau de mûres (environ 125 g/4 oz)	1
1	boîte (355 ml) de jus d'orange concentré congelé	1
1	petit contenant (175 g) de yogourt à la vanille ou nature	1
3/4 t	jus de canneberges	180 ml
1 c. à tab	germe de blé	15 ml
	quelques feuilles de menthe	
4 ou 5	brochettes de bambou	4 ou 5
4 ou 5	pailles	4 ou 5

{1} Pour les mini-brochettes, couper une demi-banane en tranches et réserver quelques fraises et quelques mûres. {2} Déposer tous les ingrédients dans le mélangeur et mixer 1 minute à puissance maximale. {3} Verser dans les verres. {4} Enfiler les fruits réservés sur les brochettes de bambou et déposer une brochette sur chaque verre. Servir avec une paille.

Le Circuit des saveurs

Pour découvrir les boutiques, producteurs et restaurateurs qui composent ce circuit, vous devrez jouer à saute-mouton d'une île à l'autre. Visites guidées, dégustations et parlure sont au menu. Fabuleux.

La Fête aux Saveurs de la Mer

Sous le chapiteau de la Côte de L'Étang-du-Nord se goûtent les délices des producteurs de la mer et mariculteurs (éleveurs d'animaux ou plantes en milieu marin). Un détour annuel à s'offrir en juin.

Fête champêtre de la Foire agricole madelinienne

Début septembre, l'île du Cap aux Meules célèbre la récolte à l'occasion de cette fête qui met en vedette les diverses productions agricoles des Îles. Jeux, fermette et repas champêtre vous y attendent.

{Îles-de-la-Madeleine}

Archipel de 12 îles étendu sur 100 kilomètres, les Îles-de-la-Madeleine accueillent les vacanciers épris de balades sur les dunes, de plages à perte de vue et de produits du terroir résolument distinctifs. Ici, les chocolats sont fourrés au Pied-De-Vent, les fleurs et les algues inspirent des bières racées, et les pommes des boissons artisanales mûrissent à l'air salin. Le paradis des papilles, vous dites ?

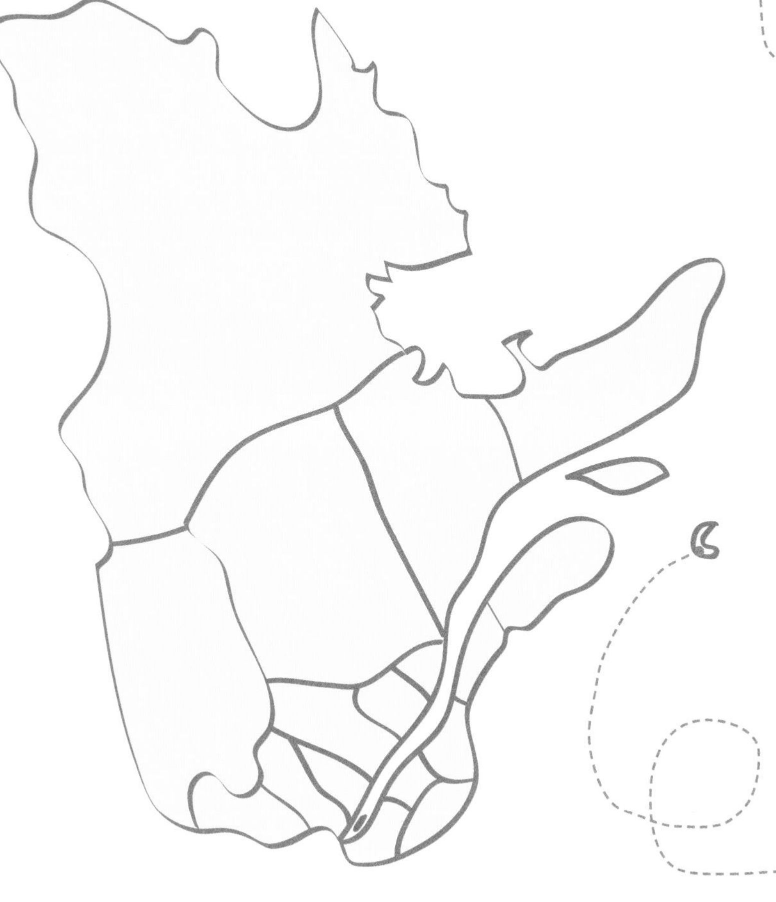

Le vin de fruits, ou bagosse, du Barbocheux, à Havre-aux-Maisons

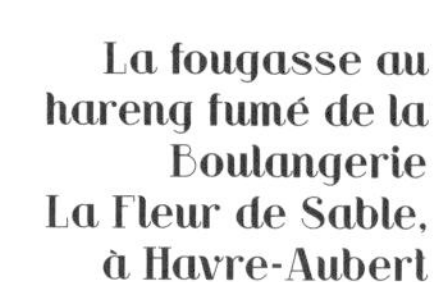

La fougasse au hareng fumé de la Boulangerie La Fleur de Sable, à Havre-Aubert

La bière Corne de brume de la Brasserie À l'abri de la Tempête, à L'Étang-du-Nord

DE JAMBON ET DE HARENG

La nouvelle a fait jaser la planète *foodie*. En 2007, le récipiendaire du Culatello d'Oro (meilleur jambon cru au monde) ne venait pas d'Italie, que non, mais d'un archipel à l'autre bout du monde. C'est à Cochons Tout Ronds qu'est revenue cette distinction. Vous trouverez leur gamme de produits fins, incluant leur fameux jambon, à leur boutique des Îles, au Marché Jean-Talon et au Marché du Vieux-Port de Québec. Vous êtes plutôt amateur de poisson ? Un détour par le Fumoir d'Antan et son Économusée du hareng fumé s'impose. Avec le déclin des stocks de hareng dans les années 70, les boucaneries des Îles avaient dû fermer une à une, signalant la triste fin d'une époque. Vingt ans plus tard, la pêche ayant repris, le Fumoir d'Antan a pu rouvrir ses portes en 1996, afin que Madelinots et touristes redécouvrent cette technique artisanale... odorante ! Les produits du fumoir sont vendus sur place, à l'île du Havre-aux-Maisons, et dans plusieurs poissonneries au Québec.

FROMAGE DANS LE VENT

Inspiré de l'expression « pied de vent », qui désigne, aux Îles, les rayons du soleil perçant à travers les nuages, voici un fromage fermier au lait cru qui n'a plus besoin de présentation. Sa particularité ? Il est fait à partir du lait d'un seul troupeau de petites vaches noires du patrimoine québécois, une race appelée La Canadienne. Nourries exclusivement avec des fourrages des Îles, ces vaches produisent un lait, et un fromage, aux arômes uniques. Il est possible de visiter la fromagerie artisanale de Havre-aux-Maisons, où le Pied-De-Vent est fabriqué.

LE HOMARD DES ÎLES

Ils sont plusieurs à ne jurer que par le bon goût frais du homard des Îles. C'est en mai que les quelque 365 bateaux madelinots prennent le large pour installer leurs cages à homards. Les excursions touristiques autour de la pêche ne sont pas encouragées, mais des activités d'interprétation et des dégustations s'offrent aux visiteurs. Moteur économique et culturel des Îles, la pêche au homard est aussi entourée de festivités : 1) au moment de la mise à l'eau des cages au début mai, alors que l'on célèbre l'arrivée du homard nouveau à Grande-Entrée ; et 2) à l'occasion du Festival du homard, qui vient clôturer la saison de pêche, le premier ou deuxième samedi de juillet.

Coup de cœur

Une belle réussite : LA TOMME DES DEMOISELLES de la Fromagerie du Pied-De-Vent.

JOHANNE VIGNEAULT

Chef autodidacte, cette fille de pêcheur native des Îles a vu le jour dans la maison qui abrite aujourd'hui son restaurant, La Table des Roy.

DÉCOUVREZ SA CUISINE ICI

La Table des Roy
1188, chemin La Vernière,
à L'Étang-du-Nord
(Cap-aux-Meules)

Avec sa cuisine gourmande du terroir inspirée par la mer, ce restaurant est l'une des grandes tables des Îles.

Ce plat a été improvisé par une amie chef à partir d'un bloc de foie gras congelé. Je ne l'ai jamais cuisiné au resto. Je le prépare plutôt quand je veux recevoir simplement (si on fait abstraction des calories et du coût !) les gens que j'aime.

Pâtes fraîches au foie gras, aux chanterelles et à la Tomme des Demoiselles

{4 portions • Préparation : 30 min • Cuisson : 10 min}

1 lb	pâtes longues fraîches	500 g
2 t	chanterelles fraîches	500 ml
1 c. à tab	huile d'olive	15 ml
7 oz	foie gras	200 g
1/4 t	oignons verts, hachés finement	60 ml
1 t	Tomme des Demoiselles (un fromage de type parmesan), râpée	250 ml
	sel et poivre noir frais moulu	

{1} Dans une grande casserole d'eau bouillante salée, cuire les pâtes. {2} Entretemps, nettoyer scrupuleusement les chanterelles. {3} Dans un poêlon, chauffer l'huile d'olive à feu élevé. {4} Y faire sauter les chanterelles jusqu'à ce qu'elles aient perdu leur eau et soient légèrement colorées. Les retirer du poêlon et réserver. {5} Égoutter les pâtes en conservant 125 ml (1/2 t) de l'eau de cuisson. Réserver séparément. {6} Couper le foie gras en cubes de 1 cm (1/3 po). Dans le poêlon qui a servi pour les chanterelles, saisir rapidement le foie gras à feu vif. Saler et poivrer au goût. {7} Dans un grand plat de service réchauffé, mélanger les pâtes et leur eau de cuisson, les oignons verts et 15 ml (1 c. à tab) du gras de foie gras fondu. Bien remuer. {8} Ajouter le foie gras, les chanterelles et 180 ml (3/4 t) de Tomme râpée. Mélanger le tout et vérifier l'assaisonnement. {9} Servir dans des bols chauds, saupoudrer de Tomme et poivrer.

Aux Îles, cette recette est connue de tous depuis des générations. Traditionnellement, elle combinait pommes de terre et morue salée, disponibles à l'année. Je la prépare aujourd'hui pour le bonheur de mes deux enfants, qui ne se font pas prier pour dévorer ces galettes.

Galettes à la morue

{4 portions • Préparation : 30 min • Cuisson : 45 min • Réfrigération : 1 h}

4	pommes de terre à chair jaune, pelées	4
2	filets de morue fraîche	2
1/4 t	huile végétale	60 ml
1	oignon, haché finement	1
1 c. à tab	thym frais, haché	15 ml
1 t	farine	250 ml

{1} Dans une grande casserole d'eau bouillante salée, cuire les pommes de terre de 15 à 20 minutes ou jusqu'à tendreté. {2} Retirer les pommes de terre de la casserole (conserver l'eau salée pour la cuisson de la morue) et les réduire en purée. Réserver la purée dans un grand bol. {3} Pocher les filets de morue dans l'eau salée, quelques minutes ou jusqu'à ce que leur chair devienne opaque. Égoutter. {4} Dans un poêlon, chauffer 15 ml (1 c. à tab) d'huile à feu doux. Y faire suer l'oignon, sans coloration, et l'ajouter à la purée de pommes de terre. {5} Incorporer la morue et le thym frais. {6} Réserver 1 heure au réfrigérateur. {7} Façonner le mélange en huit galettes. Verser la farine dans une grande assiette et y passer les galettes. {8} Dans une grande poêle, chauffer le reste de l'huile. Y faire frire les galettes de morue jusqu'à belle coloration dorée. {9} Servir avec une salade verte et des betteraves marinées, si désiré.

LUC JOMPHE

Le chef a quitté son archipel pour étudier et travailler « en ville », mais il y est revenu pour ouvrir ce petit resto de bord de mer.

DÉCOUVREZ SA CUISINE ICI

Bistro du bout du monde
951, Route 199,
à Havre-Aubert
(île du Havre-Aubert)

Le bistro mise sur les arrivages marins et maraîchers afin de créer chaque jour un menu fraîcheur unique.

Coup de cœur

LA VIANDE DE PHOQUE, OU LOUP-MARIN, **un produit de niche vendu notamment à la boucherie Côte à Côte de Cap-aux-Meules.**

FRANCINE PELLETIER

Cette passionnée de restauration a réalisé son rêve de posséder sa propre auberge aux Îles voilà déjà 23 ans.

DÉCOUVREZ SA CUISINE ICI

Auberge Chez Denis à François
404, Chemin d'en haut,
à Havre-Aubert
(île du Havre-Aubert)

Construite avec la cargaison de bois d'un navire qui fit jadis naufrage, cette auberge propose poissons, fruits de mer et spécialités locales.

Nous sommes aux Îles-de-la-Madeleine, le poisson est donc très présent à notre table. Cette jardinière de pétoncles, excellente sur des pâtes comme ici, peut aussi se servir dans un vol-au-vent, par exemple. C'est tout simple et c'est bon.

Pâtes à la jardinière de pétoncles

{4 portions • Préparation : 10 min • Cuisson : 20 min}

1 lb	fettucines ou autres pâtes au choix	500 g
1	petite carotte, pelée	1
2	tranches de navet	2
1	courgette	1
1	branche de céleri	1
1	poireau, bien nettoyé	1
1 c. à tab	beurre	15 ml
1 c. à tab	huile	15 ml
1 lb	pétoncles frais	500 g
1 c. à tab	farine	15 ml
1/2 t	vin blanc	125 ml
1/2 t	fumet de poisson	125 ml
1/2 t	crème 35 % M.G.	125 ml
	sel et poivre noir frais moulu	
	herbes fraîches au choix (persil, ciboulette, etc.)	

{1} Dans une grande casserole d'eau bouillante salée, cuire les pâtes al dente. {2} Entre-temps, couper tous les légumes en julienne. {3} Dans un poêlon, chauffer le beurre et l'huile. Ajouter les pétoncles et les légumes en julienne, puis faire revenir 2 minutes. {4} Saupoudrer de farine, mélanger délicatement et cuire 1 minute. {5} Déglacer avec le vin blanc et le fumet de poisson et laisser réduire de 2 à 3 minutes. {6} Incorporer la crème. Assaisonner de sel, de poivre et d'herbes fraîches. {7} Égoutter les pâtes et les répartir dans quatre assiettes. Verser le mélange de pétoncles sur les pâtes et servir.

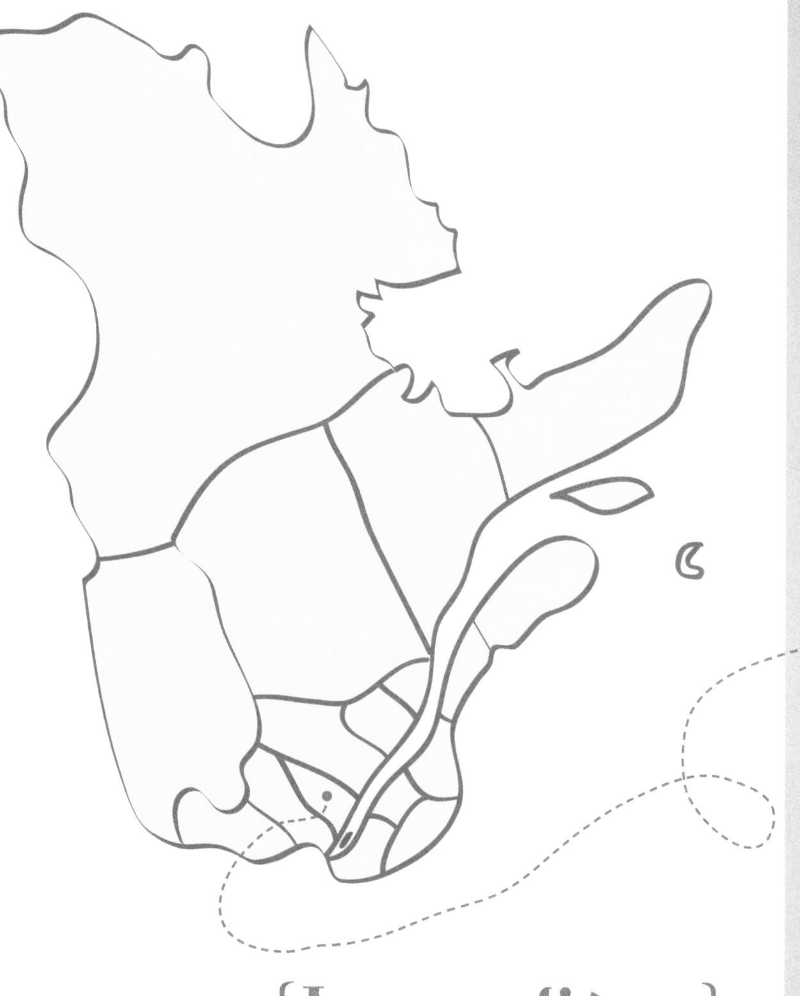

{Lanaudière}

Du champ à la meule, de la ferme-auberge à la ferme d'auto-cueillette, du restaurant gourmet à la table champêtre : Lanaudière se savoure de mille et une façons. On peut faire provision de produits locaux en chemin pour le camping, se mettre sur son trente-six pour une soirée gastronomique, partir à la conquête des circuits agrotouristiques... Une seule règle : ici, la gourmandise est de mise !

Les Chemins de campagne

Ces quatre circuits agrotouristiques vont de la plaine au fleuve, visitant producteurs, sites enchanteurs, ateliers d'artistes et bons restos. Un calendrier d'autocueillette est aussi proposé en ligne.

Goûtez Lanaudière

Pas le temps de faire la tournée ? De Matawini à Montcalm, plus d'une centaine d'aliments portant le sceau « Goûtez Lanaudière » sont vendus en épicerie : produits maraîchers, viandes d'élevage, plats cuisinés, etc.

Festival des vins de Terrebonne

Sur le site historique de l'Île-des-Moulins, ce festival a le nez pour regrouper des producteurs locaux et des experts internationaux, sur fond de dégustations et de spectacles. En août.

FÊTES ET GOURMANDISES

Dans cette région agrotouristique par excellence, pas de produit fétiche : on donne plutôt dans la diversité. C'est pourquoi, en août, les épicuriens se tournent non pas vers une spécialité, mais vers un événement : les Fêtes gourmandes de Lanaudière. Au menu, un marché avec 80 exposants, des chefs en démonstration, des sommeliers qui nous font déguster : bref, la joie ! On s'attarde sur les terrasses pour profiter des spectacles, on assiste à une conférence et on goûte tout, tout, tout. On peut aussi prendre la route sur l'un des trois circuits qui comprennent visites de fermes, pique-niques ou repas champêtres, le tout en compagnie d'un guide en costume d'époque.

DOMAINE DE L'ÎLE RONDE

Porte d'entrée de la région, ce vignoble hors du commun est établi sur l'île Ronde, près de Saint-Sulpice. Puisqu'il est impossible d'y accéder autrement que par bateau, les proprios se chargent de vous y emmener pour une visite guidée des vignes, de la cuverie et du chai. Le tout est suivi d'un repas gastronomique, allant du brunch au menu-terrasse. À la boutique, vous pourrez acheter directement leurs vins rouges, blancs et rosés, ou leurs vins fortifiés, appréciés de la critique. Plusieurs événements sont aussi organisés pour les plaisanciers et les aviateurs, car l'île a sa propre piste d'atterrissage.

Domaine de l'île Ronde

Les huiles d'olive
La Belle Excuse,
à Saint-Liguori

Les viandes et
poissons fumés
de la Maison Slaner,
à Saint-Alphonse-
Rodriguez

Les bières
naturelles
de la Brasserie
L'Alchimiste,
à Joliette

IL ÉTAIT UNE OIE

Vous aimez sortir des sentiers battus et rêvez de découvrir l'oie ou le bison ? À la Ferme de l'Oie d'Or de Saint-Gabriel-de-Brandon, on peut voir les oisons en incubation et acheter directement des produits d'oies élevées naturellement : rillettes, terrines, saucisses, confits, foies gras et autres. À la Terre des Bisons de Rawdon, on admire les bisons dans leur habitat sur mesure : une ferme de 400 acres où il est possible de se balader à pied ou à cheval. Grâce à la boutique, on peut repartir avec de la savoureuse viande de bison, offerte dans toutes les coupes, de même qu'en saucisses, en sauce à spaghetti et... en chili.

Nous mangeons une salade chaque jour, servie dans la même grande assiette ovale que j'ai depuis toujours. Toute bonne salade composée marie un peu de vert, une touche de croquant, un quelque chose de mariné et un brin de sauvage. À vous d'improviser !

Salade composée au fromage frais

{2 portions • Préparation : 15 min}

1	belle grosse tomate de type cœur de bœuf, coupée en demi-tranches (250 ml/1 t)	1
1	concombre libanais, tranché	1
1/2 t	fromage frais au choix (ricotta, bocconcini, baladi)	125 ml
1/2 t	champignons ou artichauts marinés, coupés en morceaux	125 ml
3 c. à tab	huile d'olive vierge extra	45 ml
4 t	verdures au choix (mesclun ou, mieux encore, pousses sauvages)	1 L
3 c. à tab	oignons verts, émincés	45 ml
2 c. à tab	amandes rôties, concassées	30 ml
2 c. à tab	fines herbes fraîches, ciselées (persil de mer, basilic, ciboulette, aneth, etc.)	30 ml
	sel de mer et poivre noir frais moulu	

{1} Étaler les demi-tranches de tomate sur le tour d'une belle grande assiette. {2} Recouvrir de tranches de concombre. {3} Couper ou émietter le fromage, au choix, et le déposer sur le concombre. {4} À l'aide d'une cuillère, parsemer les champignons ou artichauts marinés sur le tout. {5} Arroser d'huile d'olive et assaisonner. {6} Déchiqueter, laver et essorer les verdures. Arroser d'huile d'olive, saler, poivrer et déposer au centre de l'assiette. {7} Parsemer les verdures d'oignons verts, d'amandes concassées et de fines herbes. {8} Servir avec un bon pain et du vin blanc bien frais.

NANCY HINTON

Passée par la Taverne Monkland et L'Eau à la bouche, cette chef offre une cuisine alliant gibiers, plantes et champignons sauvages.

DÉCOUVREZ SA CUISINE ICI

La Table des Jardins sauvages
17, chemin Martin,
à Saint-Roch-de-l'Achigan

Situé au bord de la rivière Saint-Esprit, le restaurant propose une table rustique unique au Québec, en plus de forfaits cours, cueillette et repas.

Coup de cœur

L'HUILE D'OLIVE LA BELLE EXCUSE, faite à partir d'olives cueillies et pressées à Hora, près de Kalamata en Grèce, et embouteillée au Québec.

Coup de cœur

LA TERRE DES BISONS DE RAWDON, **qui produit une viande magnifique. On peut visiter la ferme pour y voir les bisons en liberté.**

AMÉLIE DUMAS

Après des études en musique classique, cette chef a plutôt décidé d'écouter son amour pour les restaurants. Sa jumelle est chef pâtissière à l'Auberge.

DÉCOUVREZ SA CUISINE ICI

Auberge du lac Taureau
1200, chemin de la Baie du Milieu, à Saint-Michel-des-Saints

Cette auberge romantique et familiale vous reçoit dans sa salle à manger donnant sur le lac, où la table reflète la tendance.

Je me souviens de ces jours gris de mon enfance quand montaient les arômes de sauce tomate et que le son des pâtes dans l'eau bouillante se fondait à celui de la pluie battante. Nous étions quatre enfants à attendre sagement que maman nous appelle enfin à table...

Pâtes au gratin de maman

{De 4 à 6 portions • Préparation : 10 min • Cuisson : 30 min}

1/2 t par personne	pâtes sèches (macaronis, penne...)	125 ml par personne
2 c. à tab	beurre salé	30 ml
1	oignon blanc, haché	1
1 lb	bœuf haché	500 g
2	branches de romarin frais ou	2
2 c. à thé	romarin séché	10 ml
1	boîte (285 ml) de soupe aux tomates	1
3 c. à tab	Cheez Whiz	45 ml
2 t	cheddar P'tit Québec râpé	500 ml
	sel et poivre noir frais moulu	

{1} Dans une grande casserole d'eau bouillante salée, cuire les pâtes en suivant les indications du fabricant. {2} Entre-temps, dans une autre casserole, faire fondre le beurre et y faire suer l'oignon jusqu'à ce qu'il commence à colorer. {3} Ajouter le bœuf haché et le romarin. Saler et poivrer au goût. Cuire jusqu'à ce que la viande perde sa couleur rosée. {4} Ajouter la soupe aux tomates et le Cheez Whiz à la viande cuite. {5} À feu doux, laisser mijoter cette sauce jusqu'à ce que les pâtes soient prêtes. {6} Ajouter les pâtes cuites à la sauce en mélangeant bien. Transférer le tout dans un plat à gratin. {7} Parsemer le fromage râpé sur les pâtes. Faire gratiner sous le gril du four, environ 15 minutes ou jusqu'à ce que le fromage soit bien doré. Déguster !

Voici un plat que ma copine a eu l'audace de me préparer à nos débuts. Intrigué par l'usage des betteraves, j'ai vite été séduit, et la recette est devenue un de nos classiques. Pour une version végétarienne, utiliser du bouillon de légumes.

Linguines à la betterave

{2 portions • Préparation : 10 min • Cuisson : 20 min}

1/2	boîte (250 g) de linguines	1/2
1/2	blanc de poireau ou	1/2
2	échalotes françaises	2
1/4 t	huile d'olive	60 ml
1 t	bouillon de volaille	250 ml
1 t	betteraves crues, pelées et râpées (bien tassées)	250 ml
1/2	sac d'épinards (4 oz/120 g), lavés et hachés	1/2
1/2 t	basilic frais, ciselé	125 ml
	copeaux de parmesan ou de romano	
	graines de pavot	
	sel et poivre noir frais moulu	

{1} Dans une casserole d'eau bouillante salée, cuire les pâtes.

Sauce à la betterave

{2} Entre-temps, bien nettoyer le poireau, le couper en deux sur la longueur et le trancher en demi-rondelles le plus fines possible. {3} Dans une grande poêle, chauffer l'huile d'olive et y faire sauter les poireaux. {4} Ajouter le bouillon de volaille et les betteraves, faire mijoter à feu moyen jusqu'à ce que le bouillon se soit évaporé de moitié. Retirer du feu et laisser reposer.

{5} Égoutter les pâtes en réservant de l'eau de cuisson. Les ajouter aux betteraves et remettre la poêle sur la cuisinière. {6} À feu vif, porter le tout à ébullition et cuire le temps que les nouilles prennent la couleur de la sauce. Au besoin, ajouter de l'eau de cuisson réservée. {7} Ajouter les épinards et le basilic, en mélangeant bien. Assaisonner au goût. {8} Servir dans des bols. Parsemer de parmesan et de graines de pavot.

Le chef

MATHIEU CARPENTIER

Ce Montréalais d'origine est un fana de cuisine évolutive. Il a travaillé au Globe, à Montréal, avant de choisir Joliette pour ouvrir son premier resto.

DÉCOUVREZ SA CUISINE ICI

Matize
343, boulevard Manseau, à Joliette

Bye bye, le menu fixe ! Pour savoir ce que Matize, atelier culinaire, propose à l'ardoise du midi ou du soir, il faut appeler...
(450 398-3030)

Coup de cœur

LES PINTADES DE LA FERME DE L'OIE D'OR, **à Saint-Gabriel-de-Brandon, aussi reconnue pour ses oies, canards et faisans élevés naturellement.**

Coup de cœur

LE SAUMON QUÉBÉCOIS FUMÉ À L'ANCIENNE **de la boucherie Gadoury de Saint-Jean-de-Matha, un délice !**

YVES MARCOUX

Ce chef a roulé sa bosse de la Suisse au Grand Nord, avant d'enseigner la cuisine puis d'ouvrir son auberge.

DÉCOUVREZ SA CUISINE ICI

Auberge du Vieux-Moulin
200, chemin du Vieux-Moulin,
à Sainte-Émélie-de-l'Énergie

Voici une auberge à la cuisine généreuse, où les produits d'ici et d'ailleurs sont servis sans compromis ni prétention.

D'une exécution incroyablement facile, cette recette est vraiment savoureuse et plaît autant aux enfants qu'aux parents. Elle combine pommes, cidre de glace et sirop d'érable, trois beaux produits du Québec, mais vous pouvez remplacer le cidre par du jus de pomme.

Suprême de poulet à l'érable et au cidre de glace

{4 portions • Préparation : 10 min • Cuisson : 30 min}

2 c. à tab	beurre salé	30 ml
4	poitrines de poulet sans la peau	4
1 c. à thé	épices à bifteck	5 ml
1/3 t	cidre de glace	80 ml
1/2 t	sirop d'érable	125 ml
1/2 t	crème à cuisson 15 % M.G.	125 ml

{1} Préchauffer le four à 150 °C (300 °F). {2} Dans une poêle allant au four, faire fondre le beurre et y saisir les poitrines de poulet de chaque côté jusqu'à coloration. Assaisonner d'épices à bifteck. {3} Cuire au four préchauffé 20 minutes. {4} Retirer le poulet de la poêle et le réserver au chaud. {5} Dégraisser le jus de cuisson dans la poêle, en conservant les sucs de cuisson collés au fond. {6} Déposer la poêle sur la cuisinière et, à feu moyen, y verser le cidre et le sirop d'érable. Laisser réduire de moitié. {7} Incorporer la crème en fouettant. Cuire 3 minutes (ajouter du cidre si la sauce est trop épaisse). {8} Servir les poitrines de poulet bien chaudes et nappées de sauce à l'érable.

Comme toute bonne cuisinière, j'ai ajouté ma propre touche (québécoise !) à cette recette de ma maman, Viviane… *Bodding* est un mot hollandais qui signifie « pouding ». C'est l'ancêtre bruxellois de notre pouding au pain.

Coup de cœur

LES FÊTES GOURMANDES DE LANAUDIÈRE, qui rassemblent la majorité des producteurs et produits de la région. À visiter religieusement chaque année !

Bodding de Vivi

{8 portions • Préparation : 15 min • Macération : de 2 à 3 h • Cuisson : 1 h}

1 t	raisins secs	250 ml
1/4 t	rhum agricole (exemple : Saint James)	60 ml
3 1/2 t	pain rassis en tout genre	875 ml
2 t	café fort chaud ou lait chaud	500 ml
2	œufs	2
1/4 t	lait froid	60 ml
3 c. à tab	cassonade	45 ml
2	pommes, pelées	2
	le jus de 1/2 citron	
2 c. à tab	beurre	30 ml
1/4 t	sirop d'érable ambré	60 ml
	crème sure, pour la garniture	

Macération

{1} Faire macérer les raisins secs dans le rhum de 2 à 3 heures, jusqu'à ce qu'ils soient bien dodus. {2} Entre-temps, découper le pain rassis dans un bol. Verser le café ou le lait chaud dans le bol. Laisser tremper un bon 2 heures. {3} Égoutter le pain à travers une passoire, sans exercer de pression. Réserver le pain dans un grand bol.

Pouding au pain

{4} Placer une grille au milieu du four et le préchauffer à 180 °C (350 °F). {5} Battre les œufs avec le lait froid et la cassonade, puis verser ce mélange sur le pain. {6} Ajouter les raisins et mélanger au moins 1 minute à la cuillère de bois. Si le mélange est trop sec, ajouter un peu de lait. {7} Verser dans un moule à cake (ou un petit moule à pain) et cuire au centre du four préchauffé environ 1 heure, ou jusqu'à ce qu'un couteau inséré au centre en ressorte presque sec. Laisser refroidir.

Caramel aux pommes

{8} Couper les pommes en dés, ou en faire des boules à l'aide d'une cuillère parisienne. Arroser de jus de citron pour éviter qu'elles brunissent. {9} Dans une poêle, chauffer le beurre jusqu'à ce qu'il devienne mousseux. {10} Ajouter le sirop d'érable et cuire de 1 à 2 minutes, jusqu'à l'obtention d'un caramel. Y jeter les pommes et poursuivre la cuisson 1 minute. {11} Verser le tout sur des tranches de *bodding* refroidi et servir avec un peu de crème sure.

GENEVIÈVE LONGÈRE

Cette chef se décrit comme une décrocheuse de la pire espèce : elle ne cuisine que ce qu'elle aime, sans compromis.

DÉCOUVREZ SA CUISINE ICI

Le Relais Champêtre
398, Grande Ligne,
à Saint-Alexis-de-Montcalm

L'une des grandes tables régionales, établie depuis 29 ans. On y cuisine les produits nouveaux de Lanaudière.

Pommes en fête

À l'automne, quelque 24 vergers vous accueillent pour l'autocueillette de pommes, des dégustations, des balades dans la nature, etc. On en profite pour faire le plein de jus, de cidre, de tartes, de gelées et d'autres gourmandises faites maison.

Le Centre d'interprétation de l'autruche

À Saint-Eustache, Nid'Otruche démystifie pour nous le plus grand volatile du monde, l'autruche. Au choix, visite guidée, safari en tracteur, repas champêtre à base d'autruche, miniparc de jeux pour les enfants et boutique.

Portes ouvertes de l'UPA

Ici comme dans tout le Québec, de nombreuses fermes vous accueillent gratuitement pendant le premier week-end de septembre. Au programme : dégustations, démonstrations, jeux et animation sous le chapiteau dans la plupart des sites.

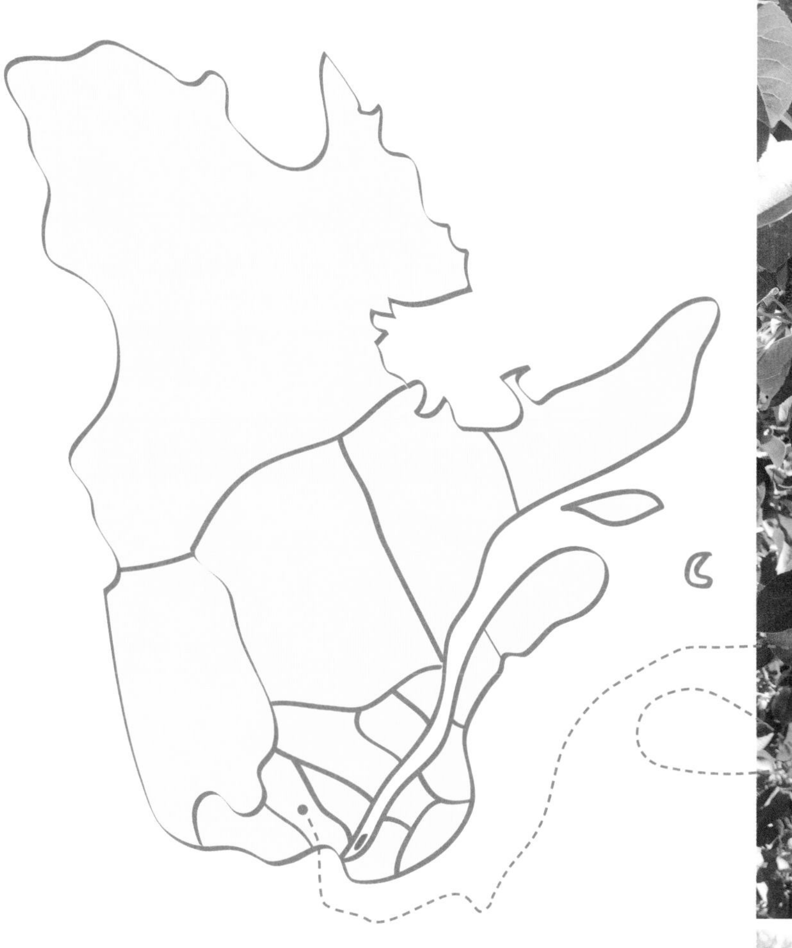

{Laurentides}

Dès juin, les Laurentides vous accueillent avec des trésors du terroir, dont les incontournables pommes, produits de l'érable et fromages. Vous recherchez plutôt les découvertes ? L'oie fumée, le miel bio, les champs de courges, l'autocueillette de raisins et les jardins biologiques y attirent aussi les fidèles. Aucun doute, l'agrotourisme atteint ici des sommets.

Le Rassembleu des Fromagiers de la Table Ronde, à Sainte-Sophie

La visite des jardins de la Clef des Champs, à Val-David

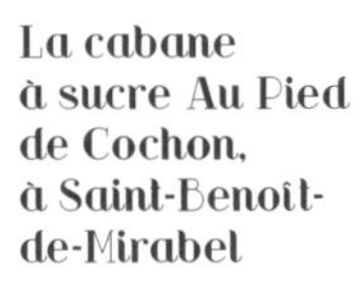

La cabane à sucre Au Pied de Cochon, à Saint-Benoît-de-Mirabel

CULTIV'ART ET MARCHÉS PUBLICS

Un marché public à l'intérieur d'un verger, fallait y penser ! Celui d'Oka plante sa tente chez Cultiv'Art tous les dimanches de juillet à septembre, invitant les gourmands à découvrir les marchands autour du lac des Deux-Montagnes. Les fanas de pommes et de plein air, eux, peuvent aussi s'adonner à l'autocueillette dans un verger montagneux de 5 000 pommiers proposant huit variétés. Les amateurs de marchés publics sont d'ailleurs choyés dans les Laurentides, puisque sept marchés s'installent pour l'été à Mont-Tremblant, à Saint-Jérôme, à Val-David, dans le Vieux-Saint-Eustache (un must) et d'autres sites enchanteurs.

À LA FERME

Envie de flâner à la ferme ? Les locavores ne jurent que par la Ferme Morgan, à Weir, et la Ferme Runaway Creek, à Arundel, toutes deux dans les Laurentides. À chaque ferme, un ou plusieurs chiens curieux accueillent les épicuriens qui viennent s'y promener ou s'y approvisionner. Chez Morgan, on admire les élevages de sangliers, de pintades, de canards et de dindes sauvages. Chez Runaway Creek, on se laisse impressionner par les étalages de légumes frais, dont 80 variétés de tomates Héritage. N'oubliez pas votre pique-nique; le lac y est magnifique.

DE COURGES ET DE RAISINS

La courge, vous connaissez... vraiment ? Au Centre d'interprétation de la courge du Québec, à Saint-Joseph-du-Lac, on découvre un univers de cucurbitacées insoupçonnées aux noms évocateurs : Carnaval, Sunburst, Blue Ballet, Sweet Mama, Wee-be-little ou Fantôme. Parmi les variétés en vente, les plus populaires sont le potiron bleu de Hongrie et la courge Pink Banana. L'automne venu, on part en brouette cueillir ses courges, on visite le centre d'interprétation ou on pique-nique en famille. Les amateurs de vins y trouveront aussi leur compte, puisque le Vignoble Vents d'Ange partage ses champs avec le centre. Fait à noter, c'est l'un des rares endroits au Québec où l'on peut cueillir son raisin de table.

Ah ! l'odeur de la volaille qui embaume la maison tout entière et vous met l'eau à la bouche... Cette recette me rappelle les dîners en famille chez ma mère. Quant à la purée de pommes de terre, il y en a autant de versions qu'il y a de chefs de cuisine. Voici la mienne.

Pintade rôtie aux champignons, sauce au vin rouge et purée de pommes de terre

{4 portions • Préparation : 30 min • Cuisson : 2 h 30 min ou plus (selon la volaille)}

Purée de pommes de terre

5	grosses pommes de terre Yukon Gold (environ 750 g/1 1/2 lb)	5
1/4 t	beurre	60 ml
3/4 t	crème 35 % M.G.	180 ml
	quelques gouttes de sauce tabasco	
	sel	

Volaille et sauce

1 t	champignons au choix (shiitakes, king enokis, chanterelles, pieds bleus)	250 ml
2 c. à tab	huile d'olive vierge extra	30 ml
1 c. à tab	jus de citron	15 ml
	quelques gouttes de sauce tabasco	
1	pintade ou autre volaille au choix : jeune dindon, poulet...	1
1/2 t	vin rouge ou xérès	125 ml
	sel	

{1} Préchauffer le four à 230 °C (450 °F). {2} Laver les pommes de terre et les déposer sur une plaque à pâtisserie. Cuire au four environ 1 heure, en piquant pour vérifier la cuisson.

Volaille farcie

{3} Pendant ce temps, couper les champignons en gros morceaux. {4} Dans un poêlon, chauffer l'huile à feu moyen-élevé et cuire les champignons. {5} Les passer au robot jusqu'à l'obtention de fins morceaux. Relever de jus de citron, sauce tabasco et sel au goût. {6} Du bout des doigts, soulever la peau qui recouvre la poitrine de la pintade ou de votre choix de volaille. Délicatement pour ne pas la percer, glisser votre main sous la peau pour la détacher et former une poche. {7} Par petites quantités, glisser délicatement le mélange de champignons sous la peau. {8} Transférer la pintade dans une lèchefrite et la saupoudrer de sel.

{9} Retirer les pommes de terre cuites du four, réduire la température à 180 °C (350 °F) et transférer la volaille dans le four. Cuire 25 minutes par 500 g (1 lb). Si votre volaille est très grosse, par exemple un jeune dindon, il est préférable de la couvrir au début. Retirer alors le couvercle pour les 30 dernières minutes de cuisson.

Purée de pommes de terre

{10} Laisser refroidir les pommes de terre cuites 5 minutes à la température ambiante, afin qu'elles soient encore chaudes mais plus faciles à manipuler. {11} Dans une petite casserole, réchauffer le beurre et la crème à feu vif. {12} Couper les pommes de terre en deux et, à l'aide d'une cuillère, les vider de leur chair. Écraser celle-ci, idéalement à la moulinette. {13} Transférer la chair de pommes de terre dans un grand bol, ajouter la crème chaude et assaisonner de sauce tabasco et de sel, en mélangeant bien. Couvrir et réserver au chaud.

Sauce au vin rouge

{14} Retirer la volaille du four, la transférer dans un plat de service chaud et réserver à couvert. {15} Poser la lèchefrite sur la cuisinière et déglacer avec le vin rouge. À feu moyen-élevé, faire réduire du tiers. {16} Servir la volaille avec la purée de pommes de terre et la sauce dans une saucière.

EMMANUEL R. DESJARDINS

Fils de la grande dame du terroir Anne Desjardins, ce jeune chef s'impose aux fourneaux du Relais & Châteaux familial.

DÉCOUVREZ SA CUISINE ICI

L'Eau à la bouche
3003, boulevard Sainte-Adèle,
à Sainte-Adèle

Hôtel, spa et restaurant, L'Eau à la bouche est l'une des grandes destinations gourmandes du Québec.

PATRICK BERMAND

Après les restos 3 étoiles de France et les bonnes tables de Montréal et de Vancouver, ce chef goûte la saveur internationale de Tremblant.

DÉCOUVREZ SA CUISINE ICI

Restaurant Patrick Bermand
2176, chemin du Village,
à Mont-Tremblant

Le Tout-Tremblant se retrouve à la table du chef Bermand pour sa cuisine du marché raffinée.

Le poulet chasseur est une fricassée savoureuse et un classique de la cuisine française que ma mère préparait le dimanche, après être passée au marché choisir poulet de grain et champignons frais cueillis. Que de souvenirs mémorables !

Poulet chasseur des Pyrénées

{4 portions • Préparation : 15 min • Cuisson : 1 h}

2 c. à tab	huile d'olive vierge extra	30 ml
1	poulet de 1,5 kg (3 lb), découpé en huit morceaux	1
2 c. à tab	beurre	30 ml
1	oignon moyen, haché	1
4	échalotes françaises, épluchées	4
2	bulbes d'ail, gousses séparées mais non épluchées	2
3	branches de thym	3
4	pommes de terre Yukon Gold, pelées et coupées en cubes de 4 cm (1 1/2 po)	4
1/4 t	lardons	60 ml
12	petits champignons de Paris ou pleurotes, nettoyés et parés	12
2 t	fond de volaille sans sel	500 ml
	sel et poivre blanc moulu	

{1} Placer une grille au centre du four et le préchauffer à 190 °C (375 °F). {2} À feu vif, chauffer l'huile dans une marmite munie d'un couvercle. Saler et poivrer les morceaux de poulet, les placer dans la marmite et les saisir jusqu'à ce qu'ils soient bien dorés, de 10 à 15 minutes. Réserver au chaud.

Légumes

{3} Dégraisser la marmite en y laissant 30 ml (2 c. à tab) de gras de cuisson. Réduire le feu à moyen et ajouter le beurre, l'oignon, les échalotes, l'ail et le thym. {4} Cuire environ 3 minutes en remuant souvent, jusqu'à ce que les légumes se colorent légèrement. {5} Ajouter les pommes de terre et les lardons. Poursuivre la cuisson de 1 à 2 minutes pour faire rendre la graisse des lardons. {6} Couvrir et cuire encore 10 minutes en remuant aux 2 minutes. {7} Ajouter les champignons, saler et poivrer.

Cuisson au four

{8} Remettre les morceaux de poulet dans la marmite. {9} Verser le fond de volaille, porter à ébullition et cuire au four à découvert de 20 à 25 minutes, jusqu'à ce que le poulet soit bien cuit. {10} Servir simplement avec un pain baguette bien croustillant.

Conseil gourmand : Les gousses d'ail confites glisseront de leur enveloppe à la moindre pression. Vous voudrez les tartiner sur votre pain avant de tremper le tout dans la sauce.

Chaque fois que je vais en Italie, ma tante me reçoit avec mon plat préféré, cette recette de gnocchis traditionnelle qui lui vient de sa mère. Elle récolte elle-même les cèpes dans les bois et les fait sécher pour les cuisiner à longueur d'année.

Gnocchi della Zia Lina

{4 portions • Préparation : 40 min • Cuisson : 20 min}

2 lb	pommes de terre, pelées et coupées en gros cubes	1 kg
1	œuf	1
1 3/4 t	farine	430 ml
1/4 t	cèpes séchés	60 ml
1 c. à tab	beurre	15 ml
1	échalote française, hachée	1
1 3/4 t	sauce tomate maison ou du commerce	430 ml
	fromage Parmigiano Reggiano râpé	
	sel et poivre noir frais moulu	

Gnocchis

{1} Dans une casserole d'eau salée, cuire les pommes de terre. Bien les égoutter dans une passoire. {2} Les réduire en purée avec un pilon à légumes. {3} Ajouter l'œuf et la farine, puis pétrir à la main jusqu'à l'obtention d'une pâte homogène. Séparer la pâte en quatre morceaux. {4} Sur une surface de travail légèrement farinée, rouler chaque morceau de pâte en un boudin d'environ 2,5 cm (1 po) de diamètre. {5} Couper chaque boudin en petits morceaux d'environ 3 cm (1 1/4 po) de longueur. {6} Rouler chaque gnocchi sur une fourchette pour y tracer des lignes (facultatif). Réserver.

Sauce

{7} Dans un bol d'eau chaude, réhydrater les cèpes de 10 à 15 minutes. {8} Dans une casserole, faire fondre le beurre et y faire sauter l'échalote. Ajouter les cèpes et la sauce tomate, saler et poivrer. {9} Laisser mijoter la sauce quelques minutes, le temps que les saveurs s'amalgament.

{10} Entre-temps, dans une grande casserole d'eau bouillante salée, cuire les gnocchis jusqu'à ce qu'ils remontent à la surface, environ 2 minutes. {11} Verser la sauce aux cèpes dans un grand plat de service, ajouter les gnocchis et mélanger délicatement. Saupoudrer de parmesan.

RAPHAËL MARTELLOTTI

Ce chef a d'abord appris la cuisine de ses parents, avant d'étudier la pâtisserie et d'ouvrir un resto portant son nom.

DÉCOUVREZ SA CUISINE ICI

Restaurant Le Raphaël
3053, boulevard Curé-Labelle, à Prévost

Table d'Or des Laurentides, Le Raphaël propose une cuisine d'inspiration européenne. Le nougat glacé maison est un must.

Coup de cœur

LES CHAMPIGNONS QUI POUSSENT DANS LES BOIS LAURENTIENS, **de petites merveilles pour qui sait les cueillir...**

FRANÇOIS DAOUST

Passionné de cuisine et de terroir, ce jeune chef en début de carrière propose déjà une expérience gastronomique unique.

DÉCOUVREZ SA CUISINE ICI

Auberge La Tour du Lac
173, chemin du Tour-du-Lac, à Sainte-Agathe-des-Monts

Auberge centenaire où le bonheur se goûte, La Tour du Lac est certifiée Table aux saveurs du terroir.

J'aime ces pâtes maison parce qu'elles sont souples et vite faites, et qu'elles n'exigent pas d'équipement particulier. On peut leur donner la forme désirée, changer la sauce ou les légumes. Depuis que je connais cette recette, je n'achète plus de pâtes du commerce.

Pâtes fraîches maison et légumes primeurs

{4 portions • Préparation : 30 min • Cuisson : 15 min}

3 t	farine	750 ml
2	œufs	2
3/4 t	eau	180 ml
1/4 t	huile d'olive	60 ml
1	échalote française, hachée	1
2	barquettes (454 g chacune) de champignons café, coupés en quartiers	2
15	tomates cerises, coupées en deux	15
1/2 lb	roquette	250 g
	copeaux de fromage parmesan	
	sel	

Pâtes fraîches

{1} Verser la farine dans un grand bol et creuser un puits au centre. {2} Battre les œufs et les verser dans le puits avec le tiers de l'eau. {3} Avec un doigt, incorporer les œufs dans la farine jusqu'à ce que le tout épaississe et devienne plus difficile à mélanger. {4} Ajouter le reste de l'eau et continuer de mélanger jusqu'à ce que la préparation forme une pâte et qu'il soit possible de la retirer du bol. {5} Sur une surface de travail farinée, pétrir la pâte environ 5 minutes. {6} Faire une boule avec la pâte, la recouvrir de pellicule plastique et la laisser reposer 10 minutes. (Cette pâte se conserve bien au réfrigérateur quelques jours, ce qui permet de gagner du temps la prochaine fois.)

{7} Sur la surface farinée, avec un rouleau à pâte, faire une abaisse d'environ 5 mm (1/5 po) d'épaisseur. {8} Couper en bandes de 1,5 cm X 15 cm (1/2 po X 6 po). {9} Aplatir de nouveau au rouleau à pâte. Attention : une fois découpées, ces pâtes collent facilement, éviter de les superposer ou les saupoudrer légèrement de farine.

Cuisson

{10} Dans une grande casserole d'eau bouillante salée, cuire les pâtes environ 3 minutes. {11} Entre-temps, dans une poêle, chauffer 30 ml (2 c. à tab) d'huile d'olive et faire sauter l'échalote et les champignons. {12} Lorsque les champignons sont tendres, retirer la poêle du feu et ajouter les tomates pour les réchauffer. {13} Égoutter les pâtes dans une passoire sans les rincer et les verser, encore chaudes, dans la poêle. {14} Ajouter la roquette, le reste de l'huile d'olive, un peu de sel et mélanger. Garnir de fromage parmesan et servir.

Coup de cœur

LE CALIJO,
un brandy de pommes vieilli en fûts de chêne produit en Montérégie, à la Cidrerie Michel Jodoin.

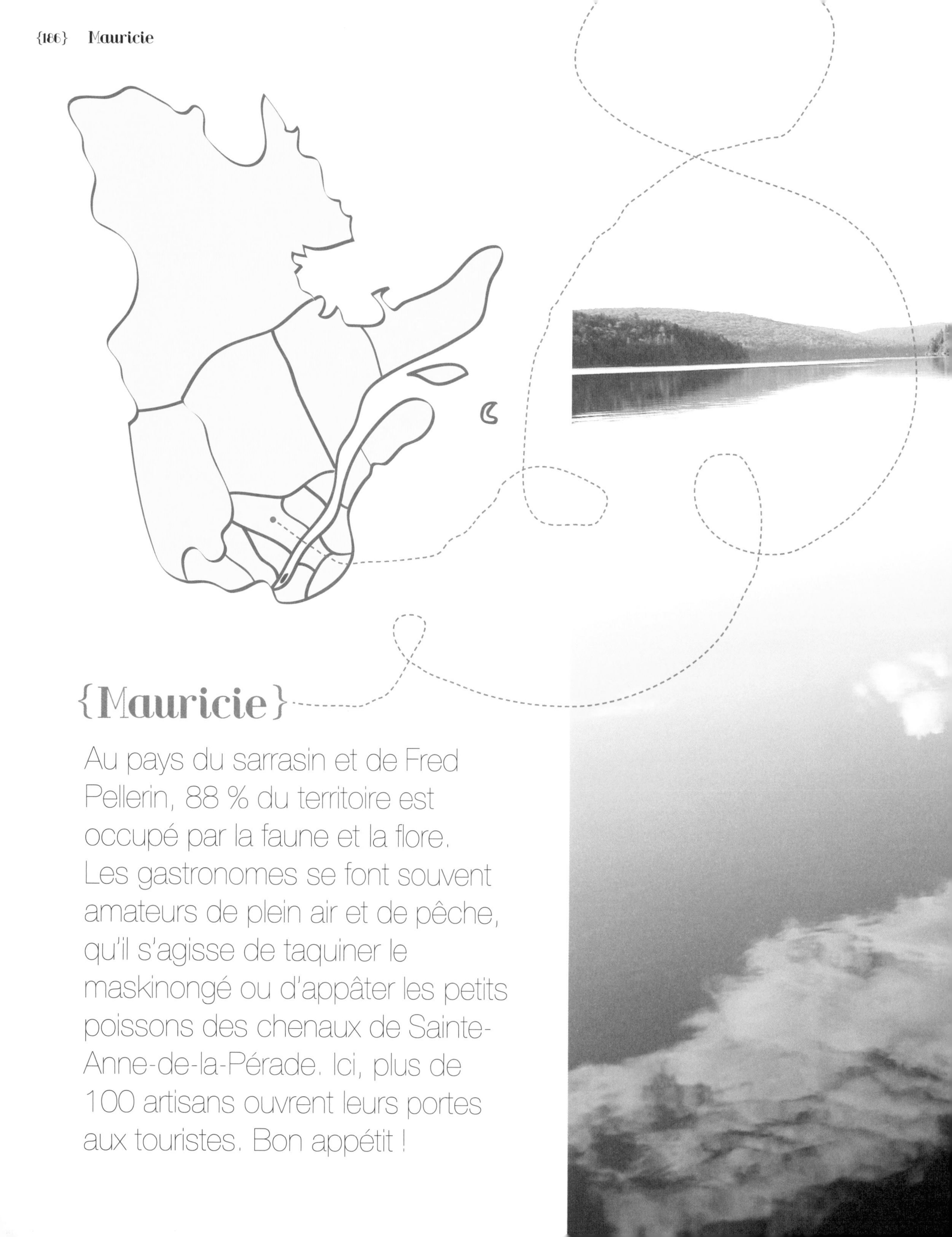

{Mauricie}

Au pays du sarrasin et de Fred Pellerin, 88 % du territoire est occupé par la faune et la flore. Les gastronomes se font souvent amateurs de plein air et de pêche, qu'il s'agisse de taquiner le maskinongé ou d'appâter les petits poissons des chenaux de Sainte-Anne-de-la-Pérade. Ici, plus de 100 artisans ouvrent leurs portes aux touristes. Bon appétit !

Délices d'automne à Trois-Rivières

Début septembre, les gourmets se prélassent sur les rives du Saint-Laurent et profitent de dégustations, de démonstrations et de soirées 6 à 9 animées. Avec 80 exposants locaux, plus un pays invité, on nous promet une aventure culinaire incomparable.

Festival de la truite mouchetée

Chaque année, il est possible de pêcher sans permis dans tout le Québec lors de la Fête de la pêche. Pendant 10 jours en juin, ce festival du lac Saint-Alexis permet la même chose. On peut louer une embarcation ou simplement pêcher en famille sur les berges aménagées.

L'île aux saveurs de Shawinigan

En août, c'est au tour de Shawinigan de nous recevoir pour un événement agroalimentaire qui conjugue combat de chefs, minisalon du livre de cuisine, ateliers, dégustations et croisières gourmandes.

Le fromage bio Le Baluchon de la Fromagerie F.X. Pichet, à Sainte-Anne-de-la-Pérade

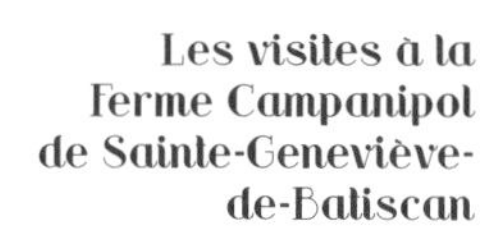

Les visites à la Ferme Campanipol de Sainte-Geneviève-de-Batiscan

Les bisons de la Ferme La Bisonnière, à Saint-Prosper

AU PAYS DU SARRASIN

N'en déplaise à Séraphin, le sarrasin n'est plus le plat des pauvres, mais une céréale appréciée pour son goût rustique, que redécouvrent les gastronomes. Chaque année, aux alentours de l'Action de grâce, Louiseville célèbre pendant 10 jours l'arrivée du « sarrasin nouveau » dans le cadre de son Festival international de la galette de sarrasin. Les touristes y sont reçus en grand avec des dégustations de produits du terroir, un défilé, un méchoui des marchands et une traditionnelle vente à la criée de produits frais de la récolte, de tartes maison, de confitures, etc. Profitez-en aussi pour visiter Sainte-Ursule et son Moulin seigneurial de la Carrière dit Saint-Louis, l'un des joyaux de la région qui date de 1758.

Microbrasserie
Le Trou du Diable

LE TEMPS DES CERISES

Avec ses 8 000 cerisiers et son centre d'interprétation, Le Temps des Cerises, situé à Charette, est la seule cerisaie au Québec. Si vous rêvez de cerisiers en fleurs, prévoyez une visite au début juin. Pour l'autocueillette, mieux vaut vous déplacer après la mi-juillet, quand il est possible de déguster plusieurs variétés de ce petit fruit aimé de tous, dont les Evans, Jewel, Valentine, Crimson, Passion, Juliette, Romeo et Cupid. Toutes sont acidulées, notre climat n'étant pas assez chaud pour les variétés sucrées. On les cuisine donc en tartes ou en confitures, ou on les fait confire dans le vinaigre. Miam.

BIÈRES ET CÉRÉALES

La Mauricie vous propose de multiples brasseries, chacune ayant ses spécialités. À la Microbrasserie Nouvelle-France de Saint-Alexis-des-Monts, vous trouverez le seul économusée de la bière au Canada ; on y propose en plus des visites guidées incluant dégustations de bières et bouchées. C'est ici qu'on fabrique l'Ambrée de Sarrasin et La Messagère, la première bière sans gluten à être produite. Les amateurs voudront absolument faire un détour par Trois-Rivières pour découvrir l'incroyable sélection de bières locales et importées du monde entier de La Barik. Bien sûr, n'oubliez pas de passer savourer les bières artisanales du Trou du Diable à Shawinigan et de la Microbrasserie À la fût, à Saint-Tite.

PATRICK GÉRÔME

Chef de l'année au Québec en 1999, ce chef-vedette s'est vu octroyer 3 étoiles au *Guide Debeur*.

DÉCOUVREZ SA CUISINE ICI

Auberge Le Baluchon
3550, chemin des Trembles,
à Saint-Paulin

Cette auberge propose une table nappe blanche, un éco-café champêtre et même une cabane à sucre !

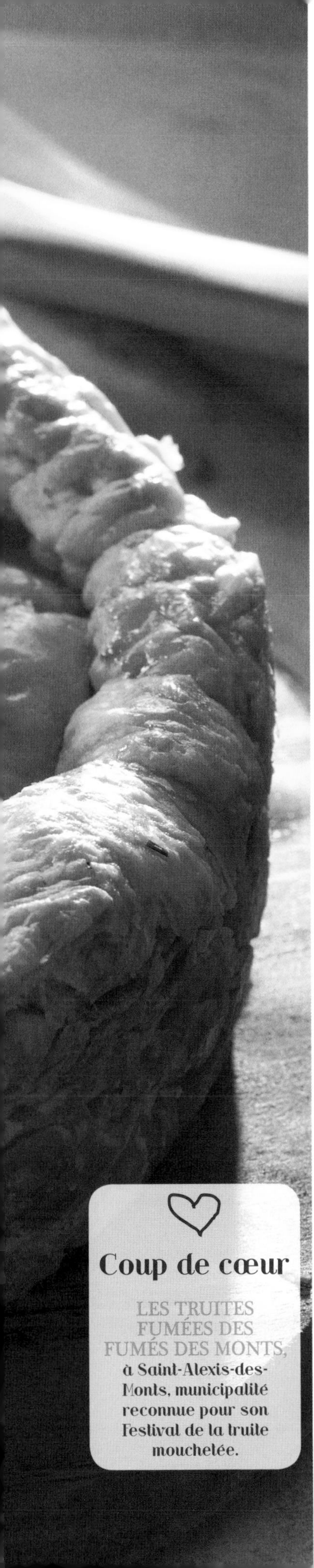

Voici une recette du Berry, en France, que l'on se refile dans ma famille depuis quatre générations. Après y avoir goûté, vous ne verrez plus les pâtés du même œil, parole de chef ! Jusqu'à maintenant, j'avais toujours refusé de partager cette version secrète de ma mère, alors vous êtes choyés !

Pâté aux pommes de terre

{8 portions • Préparation : 20 min • Cuisson : 2 h}

2	paquets (397 g ou 411 g chacun) de pâte feuilletée surgelée, décongelée	2
3 lb	pommes de terre, pelées	1,5 kg
3 c. à tab	ail, haché	45 ml
3 c. à tab	échalotes françaises, hachées	45 ml
3 c. à tab	persil frais, haché	45 ml
2 c. à thé	sel	10 ml
4	pincées de poivre noir frais moulu	4
1	jaune d'œuf	1
1/2 t	crème 35 % M.G.	125 ml

Pâte feuilletée

{1} Sur une surface de travail légèrement farinée, abaisser une feuille de pâte en un rond légèrement plus grand que le moule à gâteau utilisé. Choisir un moule d'au moins 7 cm (2 1/2 po) de hauteur. {2} Déposer le moule sur l'abaisse et, à la pointe du couteau, tailler autour du moule afin de créer le couvercle de votre pâté. {3} Abaisser l'autre feuille de pâte en un cercle assez grand pour tapisser le moule, plus un rebord de 1,25 cm (1/2 po).

Pâté

{4} Préchauffer le four à 150 °C (300 °F). {5} Couper les pommes de terre en tranches d'au maximum 1 cm (1/3 po) d'épaisseur. {6} Dans un bol, mélanger l'ail, les échalotes et le persil. Ajouter les pommes de terre, le sel et le poivre. Mélanger le tout et verser dans le moule. {7} Recouvrir du couvercle de pâte et remonter la bordure en la pinçant légèrement pour sceller le pâté.

Cuisson

{8} À la pointe du couteau, pratiquer un trou au milieu du couvercle de pâte pour laisser s'échapper la vapeur durant la cuisson. {9} Badigeonner le pâté de jaune d'œuf et cuire au four préchauffé environ 2 heures. {10} Avec un petit couteau, découper le pourtour du couvercle et le retirer. Piquer les pommes de terre pour en vérifier la cuisson. Si elles sont cuites, arroser de la crème, remettre le couvercle et laisser reposer 10 minutes. {11} Servir chaud, tiède ou froid, en entrée ou en accompagnement.

Coup de cœur

LES TRUITES FUMÉES DES FUMÉS DES MONTS, **à Saint-Alexis-des-Monts, municipalité reconnue pour son Festival de la truite mouchetée.**

Relevé d'un parfum d'érable, le produit du terroir par excellence au Québec, ce tartare est un charme à préparer et séduit les invités à tout coup. Rien de plus génial qu'une recette qui se réalise en quelques minutes et qui impressionne autant.

ALAIN PENOT

Avec ses 27 années d'expérience, ce chef français formé en cuisine et en pâtisserie a été élu « chef de l'année 2010 » au Québec.

DÉCOUVREZ SA CUISINE ICI

Auberge du lac Saint-Pierre
10911, rue Notre-Dame Ouest, à Trois-Rivières

Située à Pointe-du-Lac, cette auberge dressée au-dessus du Saint-Laurent propose une fine cuisine imaginative.

Tartare de saumon de l'Atlantique à saveur d'érable

{4 portions • Préparation : 20 min • Macération : 1 h}

1	filet de saumon frais de l'Atlantique (250 g/1/2 lb), sans la peau	1
1	échalote française, hachée finement	1
1 t	huile de pépin de raisin ou huile de canola	250 ml
2 c. à tab	vinaigre d'érable	30 ml
	le jus de 1/2 citron	
1 c. à tab	moutarde de Dijon	15 ml
	persil, ciboulette, fleurs (pensées, capucines), pour la garniture	
	fleur de sel et poivre noir frais moulu	

{1} Couper le filet de saumon en petits dés et verser ces dés dans un bol. {2} Ajouter l'échalote, une pincée de fleur de sel, deux tours de moulin à poivre et mélanger délicatement. {3} Dans un petit bol, fouetter ensemble le reste des ingrédients sauf la garniture. Verser sur le saumon. {4} Recouvrir de pellicule plastique et laisser macérer 1 heure au réfrigérateur. {5} Servir, au choix, en assiette, en verrine ou en coupe, avec vos garnitures préférées.

Coup de cœur
LE WAPITI,
très maigre et
savoureux, surtout élevé
en Mauricie et dans le
Centre-du-Québec.

Coup de cœur

LA BAIE D'AMÉLANCHIER, **un petit fruit au goût de bleuet et d'amande, à découvrir en autocueillette à la Ferme Éthier, à Saint-Étienne-des-Grès.**

FRANCK RICHARD

En plus d'avoir travaillé en France et dans les Antilles, ce chef a servi sa cuisine gagnante pendant huit ans au Centre Bell à Montréal.

DÉCOUVREZ SA CUISINE ICI

Les Caprices de Fanny
1241, rue Principale,
à Saint-Étienne-des-Grès

Élue « coup de cœur du public » en 2009, cette table certifiée aux saveurs du terroir allie savoir-faire français et produits québécois.

L'été, avec des légumes qui provenaient de notre jardin potager, ma mère nous préparait ce plat que j'adorais. Aujourd'hui encore, il évoque les midis ensoleillés de mon enfance.

Œufs sur le plat aux tomates

{4 portions • Préparation : 5 min • Cuisson : 30 min}

6	gousses d'ail	6
2 c. à tab	huile d'olive	30 ml
1	gros oignon, haché finement	1
4	belles tomates, coupées en gros dés	4
1/4 t	persil frais, haché	60 ml
8	gros œufs	8
4	tranches de pain de campagne	4
	sel et poivre noir frais moulu	

{1} Hacher 4 gousses d'ail. Dans une grande poêle, chauffer l'huile d'olive, ajouter l'oignon et l'ail haché. Faire suer à feu doux quelques minutes ou jusqu'à ce que l'oignon soit transparent, en évitant de colorer. {2} Ajouter les tomates, assaisonner le tout et laisser mijoter à feu doux 20 minutes. {3} Ajouter le persil, puis les œufs, un à la fois, en prenant soin de ne pas briser les jaunes. {4} Cuire à feu doux jusqu'à ce que les blancs soient cuits et les jaunes, encore liquides. {5} Pendant ce temps, faire griller les tranches de pain et les frotter avec les 2 gousses d'ail restantes. {6} Servir le mélange de tomates et d'œufs dans des plats à gratin individuels, toujours en prenant soin de ne pas briser les jaunes. {7} Accompagner de pain grillé et, pourquoi pas, d'une bonne salade verte.

Toute simple à réaliser, cette recette surprend par sa combinaison inédite d'ingrédients très goûteux. De plus, il devrait vous rester du gingembre confit et des oignons au porto pour accompagner vos plats de viande et de poisson. Une recette trois-en-un, quoi !

Petit sandwich de pétoncles et fraises

{4 portions • Préparation : 20 min • Cuisson : 35 min}

1/2 t	gingembre frais, en fine julienne	125 ml
1/2 t	sucre	125 ml
	eau	
3 c. à tab	beurre	45 ml
1	oignon rouge, émincé	1
3 1/2 oz	porto rouge	100 ml
8	pétoncles (calibre 10-20)	8
7 oz	fromage à la crème Philadelphia	200 g
1 c. à tab	poudre de cari	15 ml
1	pain pumpernickel, en huit tranches d'environ 1 cm (1/3 po) d'épaisseur	1
4	belles fraises, coupées en deux	4
	sel et poivre noir frais moulu	

Gingembre confit

{1} Dans une casserole d'eau bouillante, blanchir la julienne de gingembre 2 minutes. Changer l'eau et blanchir de nouveau. {2} Combiner le gingembre, 60 ml (1/4 t) de sucre et un peu d'eau. Cuire doucement 25 minutes, le temps de confire le gingembre. Laisser refroidir.

Oignons au porto

{3} Dans un poêlon, faire fondre 15 ml (1 c. à tab) de beurre. Ajouter l'oignon rouge et faire suer quelques minutes. {4} Ajouter le reste du sucre et le porto. Cuire jusqu'à ce qu'il ne reste presque plus de jus.

Pétoncles

{5} Dans un autre poêlon, faire fondre le reste du beurre. Assaisonner les pétoncles et les faire sauter jusqu'à coloration dorée, environ 2 minutes de chaque côté. Réserver au chaud.

Sandwichs

{6} Dans un cul-de-poule, mélanger le fromage à la crème, le cari, un peu de sel et de poivre. {7} Faire griller les tranches de pumpernickel. Tartiner la moitié des tranches d'une généreuse couche de fromage au cari et refermer en sandwich avec les autres tranches. {8} Garnir le dessus de chaque sandwich d'une couche d'oignons au porto. {9} Déposer 2 pétoncles sur chaque sandwich. Surmonter chacun de 1 demi-fraise, puis fixer le tout à l'aide de cure-dents. Décorer de gingembre confit.

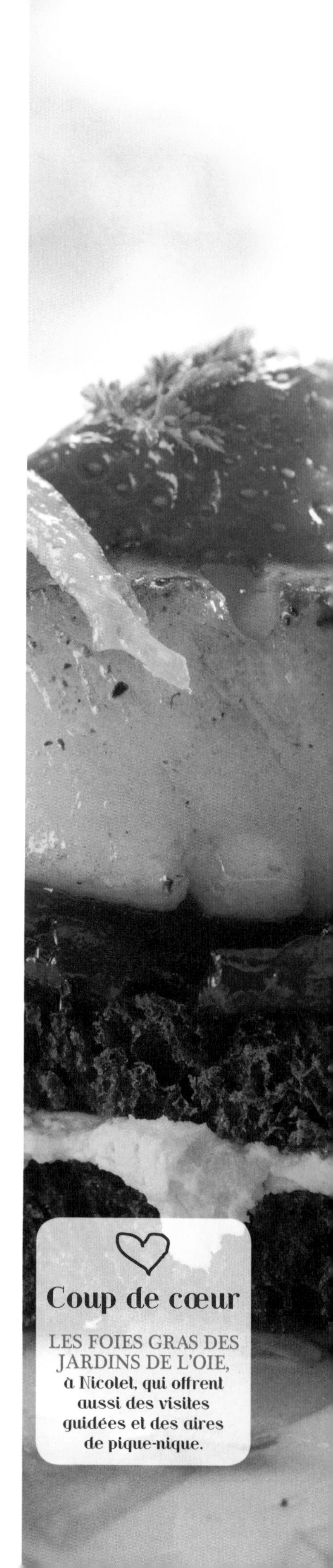

Coup de cœur

LES FOIES GRAS DES JARDINS DE L'OIE, **à Nicolet, qui offrent aussi des visites guidées et des aires de pique-nique.**

JOSÉ PIERRE DURAND

Ce jeune chef épris de cuisine espagnole a fait le pari d'ouvrir un resto de haute gastronomie à Trois-Rivières. C'est réussi.

DÉCOUVREZ SA CUISINE ICI

Restaurant Poivre Noir
1300, rue du Fleuve,
à Trois-Rivières

Voici un restaurant qui promet l'évasion et où l'inspiration est au menu. Une adresse incontournable pour les amateurs de foie gras.

Coup de cœur
LE MAÏS
DE LA FERME
VIEILLES-FORGES,
à Trois-Rivières,
à se rouler par terre.

FRANCK CHAUMANET

Autodidacte, ce chef gourmand et passionné a réalisé son rêve d'aventure en ouvrant une micro-brasserie jumelée à un restaurant.

DÉCOUVREZ SA CUISINE ICI

Micro-brasserie Le Trou du Diable
412, rue Willow, à Shawinigan

La cuisine de plaisir proposée par Le Trou du Diable puise ses racines en France, mais elle s'exprime avec un accent québécois.

Cette recette familiale me rappelle le noyer Franquette qui poussait dans le jardin. Aujourd'hui, c'est mon fils qui profite le plus souvent de ce délicieux gâteau. En vous en offrant la recette, je m'assure qu'elle ne sera pas oubliée et que je n'oublierai jamais d'où je viens.

Gâteau aux noix de mon enfance

{6 portions • Préparation : 20 min • Cuisson : 25 min}

2 t	noix de Grenoble (ou, au choix : amandes, pacanes ou un mélange des deux)	500 ml
1 1/4 t	sucre	310 ml
1 1/2 t	beurre mou (160 g)	375 ml
4	œufs	4
1 1/2 t	farine blanche tout usage	375 ml
1	sachet de levure sèche	1
1 oz	rhum (ou cognac, whisky, scotch, liqueur de noix, Baileys...)	30 ml
	pincée de sel	

{1} Préchauffer le four à 180 °C (350 °F). {2} Mélanger les noix entières et la moitié du sucre. {3} Mélanger le beurre et le reste du sucre. {4} Combiner les mélanges de noix et de beurre, puis réserver. {5} Au fouet ou à la mixette, monter les œufs. {6} Saupoudrer la farine en pluie sur les œufs. Incorporer la levure sèche. {7} Ajouter l'alcool et le sel. {8} Incorporer le mélange d'œufs au mélange de noix. {9} Verser le tout dans un moule de votre choix, par exemple un moule rond de 23 cm (9 po), la pâte ne devant pas dépasser les deux tiers du moule. {10} Cuire au four préchauffé de 20 à 25 minutes, jusqu'à l'obtention d'une belle croûte dorée. {11} Servir chaud ou froid, avec de la crème fouettée, de la crème glacée ou une sauce au chocolat.

Les balades au verger

Les 22 vergers de la région proposent bien plus que la simple autocueillette : on y va pour les balades entre les pommiers, les dégustations, les activités familiales et les délicieux produits maison, à se procurer sur place.

L'érable, de la palette à la fourchette

Saviez-vous que la Montérégie est la région du Québec comptant le plus grand nombre d'érablières touristiques ? Au total, 20 cabanes et 12 restos conjuguent l'érable durant cet événement qui célèbre le printemps et le temps des sucres.

Exposition agricole de Saint-Hyacinthe

Fin juillet, le plus grand festival agricole de la Montérégie regroupe 150 artisans du terroir à découvrir, au sein d'une programmation incluant spectacles en tout genre... et 2 000 animaux de la ferme !

{Montérégie}

Avec sa terre noire, riche et nourricière, la Montérégie est le grenier du Québec. Tout y pousse en abondance. Les pommiers se comptent par dizaines de milliers, les érables à sucre coulent et coulent encore, la vigne donne des vins généreux, les fruits et légumes convient à l'autocueillette. De route des vins en circuit du paysan, l'épicurien a tout intérêt à être gourmand… de kilomètres.

La Fromagerie Au gré des champs, à Saint-Jean-sur-Richelieu

Les gelées bio du Verger du sureau, à Saint-Bernard-de-Lacolle

Le poiré de glace du Domaine des Salamandres, à Hemmingford

ON VOUS CHANTE LA POMME

Avec pour joyau l'incontournable Rougemont, « capitale mondiale de la pomme », la Montérégie est identifiée de près à ce fruit croquant. Route des cidres, Mondial du cidre de glace, événement Arômes, cidres et vins : une multitude de fêtes et de circuits tournent autour de la pomme. Bleue, Vista Bella, Tofki, Alexandre, Gravenstein, Belmac, Peewakee : les variétés à découvrir ici dépassent drôlement l'offre en épicerie. Plaque tournante du cidre de glace, la Montérégie compte aussi plusieurs cidreries, dont La Face cachée de la pomme à Hemmingford, avec son célèbre Neige. Un détour chez Michel Jodoin est un must, pour y goûter entre autres les spiritueux de pommes et le cidre rosé mousseux.

AU ROYAUME DE L'AUTOCUEILLETTE

Si fraises, framboises, pommes et bleuets sont ici bien représentés, les fermes d'autocueillette de la Montérégie proposent aussi d'autres cultures qui nous font « travailler » dans la joie, dont les gadelles, cassis, groseilles, citrouilles, prunes, tomates et haricots. Au Domaine des petits fruits à Saint-Jean-sur-Richelieu, la chocolaterie attenante offre une visite commentée. Au Verger de la Savane, à Saint-Hubert, vous pourrez vous perdre dans un labyrinthe à même les champs de maïs. À l'automne, les plus téméraires voudront clore leur autocueillette par une visite de la maison hantée des Vergers Denis Charbonneau, à Mont-Saint-Grégoire.

DU SOLEIL PLEIN LES YEUX

Pendant deux fins de semaine au début du mois d'août, la Ferme Champy, à Upton, ouvre ses champs et vous invite à faire une balade unique en son genre parmi 900 000 tournesols rayonnants. Une visite commentée vous apprendra tout sur la transformation du tournesol en huile, alors que la grange accueille les œuvres de peintres inspirés par cette fleur. N'oubliez surtout pas votre appareil photo.

Simple et sans chichis, cette recette prête en 15 minutes est l'entrée parfaite pour un souper entre amis. Composée d'ingrédients faciles à trouver à longueur d'année, elle est d'une fraîcheur idéale pour les chaudes soirées d'été.

Ceviche de tilapia

{8 portions en entrée ou 4 portions en plat principal • Préparation : 15 min}

1 lb	filets de tilapia	500 g
1/4 t	tomates cerises	60 ml
1/4	botte de coriandre fraîche	1/4
3	échalotes françaises, hachées	3
1	botte d'oignons verts, ciselés	1
	le jus de 4 limes	
	sel et poivre noir frais moulu, au goût	

{1} Couper le tilapia en petits dés. {2} Couper les tomates cerises en quatre. {3} Effeuiller et hacher la coriandre. {4} Mélanger tous les ingrédients, puis laisser reposer 5 minutes avant de servir.

MAXIME DURAND

Après des débuts à L'Incrédule, il a œuvré à Vancouver et à Montréal avant de revenir à sa première cuisine.

DÉCOUVREZ SA CUISINE ICI

L'Incrédule - bistro contemporain
288, rue Saint-Charles Ouest, dans le Vieux-Longueuil

Avec son menu inspiré des bistros français, voici un restaurant où l'ambiance du Vieux-Longueuil règne jusqu'à la table.

Coup de cœur

LA TOMME DU MARÉCHAL **de la Chèvrerie du Buckland, un fromage fermier au lait cru de chèvre.**

Coup de cœur

LES FROMAGES DE CHÈVRE FERMIERS DE LA FERME MES PETITS CAPRICES, **vendus sur place à Saint-Jean-Baptiste – l'un des arrêts de la Route des fromages.**

NORBERT BOULLY

Chef proprio à Outremont pendant sept ans, il a aussi officié aux cuisines de L'Actuel à Montréal et de l'Auberge des 3 canards à La Malbaie.

DÉCOUVREZ SA CUISINE ICI

Restaurant Le Jozéphil
969, rue Richelieu,
dans le Vieux-Belœil

Avec trois niveaux de terrasse sur le Richelieu, Le Jozéphil propose une cuisine française traditionnelle et actualisée.

Mon père était cultivateur et charcutier. Il aimait faire goûter les produits de notre ferme à tous les amis. Simplement savoureuse, cette recette est à l'image des petits plats de mon enfance qui ont développé ma passion pour la cuisine.

Tomates farcies du paternel

{4 portions • Préparation : 15 min • Cuisson : 1 h 15 min}

1 c. à tab	beurre	15 ml
1	oignon moyen, haché	1
3	gousses d'ail, hachées	3
1 lb	porc haché	500 g
1	branche de thym frais	1
	ou	
1 c. à thé	thym séché	5 ml
3 c. à tab	persil frais, haché	45 ml
3	œufs, battus	3
4	grosses tomates bien rouges et fermes (ou 8 petites)	4
	sel et poivre noir frais moulu	

* Cette recette se double facilement. Réchauffée et servie avec une salade, elle sera excellente en guise de lunch du lendemain.

Farce au porc

{1} Dans un grand poêlon, chauffer le beurre et y faire revenir l'oignon et l'ail à feu moyen de 3 à 4 minutes. {2} Ajouter le porc et, à l'aide d'une cuillère, défaire la viande pendant qu'elle cuit afin d'éliminer les gros morceaux. {3} Saler, poivrer, ajouter le thym et le persil, puis poursuivre la cuisson jusqu'à ce que la viande soit cuite et ait perdu sa couleur rosée. {4} Hors feu, ajouter les œufs et bien mélanger. Rectifier l'assaisonnement et réserver.

Légumes

{5} Préchauffer le four à 180 °C (350 °F). {6} Couper les capuchons des tomates et les réserver. {7} À l'aide d'une cuillère, évider les tomates en prenant soin de ne pas briser la peau. {8} Verser la chair des tomates dans un plat allant au four. Déposer les tomates évidées sur la chair. {9} Farcir généreusement les tomates. Remettre les capuchons. {10} Cuire au four préchauffé 1 heure. Servir avec du riz ou des frites.

Ce beau petit plat conjugue deux extraordinaires produits du Québec : le canard, que l'on élève bon et beau, ainsi que le sirop d'érable, sans égal. On cuisine souvent le canard rôti, mais il ajoute une touche bien spéciale à tout mijoté. Vous serez ravis !

Navarin de canard à l'érable

{4 portions • Préparation : 15 min • Cuisson : 45 min}

12	morceaux de rutabaga (chou-navet à chair jaune), pelés et taillés en boule	12
12	morceaux de carotte, pelés et taillés en boule	12
2	beaux magrets de canard frais d'au moins 400 g (3/4 lb) chacun	2
2	échalotes françaises, hachées	2
2 c. à tab	vin blanc	30 ml
2 c. à tab	vinaigre d'érable*	30 ml
2 c. à tab	sirop d'érable (ambré de préférence)	30 ml
1 t	sauce demi-glace (sauce brune maison ou du commerce), chaude	250 ml
1/2 t	pois verts, blanchis	125 ml
	sel et poivre noir frais moulu	

* Un bon vinaigre de cidre peut remplacer le vinaigre d'érable.

{1} Dans une grande casserole d'eau bouillante salée, blanchir les légumes en boule environ 5 minutes. Réserver au frais.

Canard

{2} Retirer la partie grasse sur le dessus des magrets de canard et couper leur chair en dés. {3} Dans une sauteuse, faire fondre le gras des magrets à feu doux. Retirer tout le gras fondu, sauf 30 ml (2 c. à tab), et réserver. {4} À feu vif et lorsque le gras de la sauteuse atteint son point de fumée, ajouter la moitié des dés de canard, assaisonner et saisir. Vous voulez colorer l'extérieur tout en gardant l'intérieur le plus saignant possible. Réserver. {5} Répéter avec le reste des dés de canard et réserver aussi. {6} Dans le gras de cuisson, faire sauter les échalotes. Ajouter un peu de gras de canard réservé au besoin. {7} Déglacer avec le vin blanc, laisser réduire légèrement et réserver ce jus de cuisson.

Navarin

{8} Dans une casserole, combiner le vinaigre et le sirop d'érable, puis cuire jusqu'à l'obtention d'un caramel coloré. {9} Mouiller avec le jus de cuisson réservé et la demi-glace. {10} Ajouter les carottes et le rutabaga blanchis, puis laisser mijoter jusqu'à ce que les légumes soient tendres. {11} Ajouter le canard sauté et les pois verts. Laisser mijoter 2 minutes pour lier les saveurs et servir.

Coup de cœur

LE VINAIGRE D'ÉRABLE DE LA CABANE DU PICBOIS DE BRIGHAM, **vendu un peu partout... même en France et au Japon !**

FRANÇOIS PELLERIN

« Chef de l'année » au Québec en 2007 et grande personnalité de la gastronomie, ce chef se décrit comme un marchand de bonheur.

DÉCOUVREZ SA CUISINE ICI

Le Garde-manger de François
2403, avenue de Bourgogne, à Chambly

En combinant boutique prêt-à-emporter, boulangerie et pâtisserie sous un même toit, Le Garde-manger propose une expérience gourmande incomparable.

SOPHIE MORNEAU

Cette ancienne chef pâtissière du Ritz Carlton dirige aujourd'hui sa propre boutique de créations sucrées.

DÉCOUVREZ SA CUISINE ICI

Les Gourmandises de Sophie
2103, boulevard Édouard, salle 03, à Saint-Hubert

Alliant boutique, ateliers et sucreries sur commande, cette pâtisserie recèle les gâteries de votre prochain pique-nique.

Souvenir d'enfance, cette sauce ne durait jamais plus d'un repas. Ma mère nous la servait sur un gâteau blanc, tout simplement. Un doux caramel, pas trop sucré, et combien apprécié des enfants !

Sauce gourmande au caramel

{De 4 à 6 portions • Préparation : 15 min • Cuisson : 20 min}

1 t	cassonade (ou moitié sucre, moitié cassonade)	250 ml
2 c. à tab	farine tout usage	30 ml
1 t	lait 3,25 %	250 ml
2 c. à thé	extrait de vanille	10 ml
2	jaunes d'œufs	2

{1} Faire bouillir de l'eau dans la partie inférieure d'un bain-marie. {2} Dans la partie supérieure, combiner la cassonade et la farine en mélangeant bien. {3} Ajouter le lait et l'extrait de vanille. Cuire environ 15 minutes en fouettant à quelques reprises. {4} Dans un bol, fouetter les jaunes d'œufs. {5} Prélever un peu du mélange de lait chaud et l'incorporer aux œufs pour les réchauffer. Reverser le tout dans le bain-marie. {6} Mélanger bien jusqu'à ce que le caramel ait épaissi. {7} Si désiré, refroidir au réfrigérateur, dans un contenant avec couvercle entrebâillé. Personnellement, je préfère cette sauce froide.

Ma mère servait toujours cette relish avec son gigot d'agneau du dimanche. Avec son petit côté à la fois riche et sucré, c'était mon condiment préféré, qui donnait une touche bien spéciale au souper dominical.

Relish aux poivrons rouges

{10 portions • Préparation : 15 min • Cuisson : 15 min • Réfrigération : 12 h}

9	poivrons rouges (environ 750 ml/3 t lorsque hachés)	9
1 t	eau bouillante	250 ml
4 t	sucre blanc	1 L
3/4 t	vinaigre blanc	180 ml
	jus de 1/2 citron	
1/2	boîte (100 ml) de pectine liquide Certo	1/2

{1} Hacher les poivrons au robot culinaire et bien les égoutter. {2} Verser de l'eau bouillante sur les poivrons hachés et bien les égoutter de nouveau en réservant 60 ml (1/4 t) du liquide. {3} Dans une casserole, combiner le sucre, le vinaigre et le liquide bouillant réservé. Chauffer le tout à feu doux jusqu'à ce que le sucre soit dissous et que le sirop commence à épaissir légèrement. {4} Verser les poivrons dans ce sirop et laisser mijoter à feu doux 5 minutes. {5} Ajouter le jus de citron et le Certo et faire bouillir 1 minute. {6} Verser dans un pot Mason, laisser refroidir à la température ambiante et réfrigérer pendant au moins 12 heures avant de servir.

PIERRE-ANDRÉ BRASSARD

Hôtel Fairmont en Alberta, Fairmont Reine Elizabeth à Montréal, Casino de Hull : voici un chef qui, en 23 ans, a connu les grandes cuisines.

DÉCOUVREZ SA CUISINE ICI

Restaurant Fourquet-Fourchette
1887, avenue Bourgogne, à Chambly

Découvrez son menu Nouvelle-France et son fumoir maison avec, au menu, gibiers et saveurs d'antan.

Coup de cœur

LES PINTADES DES PRODUITS D'ANTOINE, **vendues au Marché Jean-Talon et dans certaines boucheries en Montérégie.**

{Outaouais}

Une visite en Outaouais vous fait un effet bœuf ? Rien d'étonnant : vous voici dans l'un des châteaux forts de la production bovine et laitière du Québec. Ranch panoramique, trappe à fromages, et même deux vignobles : ici, la diversité règne par-dessus tout, et tous les goûts sont comblés. L'agrotourisme y fait son chemin et les initiatives se multiplient, notamment grâce au programme « Croquez l'Outaouais ».

Parcours Outaouais gourmet

Tout nouveau, tout beau, ce parcours lancé à l'été 2010 regroupe quelque 36 fermes, tables et boutiques proposant animation, dégustations, visites guidées et bonheurs gourmands.

Foire gourmande Outaouais-Est ontarien

Depuis cette année, en août, une foire regroupe les producteurs dans les environs de Montebello. Sa particularité ? Un traversier piétonnier permet aux visiteurs de faire un saut en Ontario pour y découvrir les producteurs.

Rendez-vous des saveurs de Gatineau

Début octobre, ce salon de la gastronomie et du vin réunit chefs et producteurs locaux au Casino du Lac-Leamy. Au menu : démonstrations et dégustations dans un marché urbain d'ambiance.

Le cerf de Boileau, marque de prestige des Fermes Harpur, à Saint-André-Avellin

Le salon de dégustation Les Brasseurs du Temps, à Gatineau

L'Économusée du chocolat de ChocoMotive, à Montebello

NATURELLEMENT BŒUF

Vous êtes fana de méchoui ? Ce coin de pays est pour vous. Agneau, cerf, chevreau, sanglier : les producteurs locaux vous reçoivent sur réservation, de la Ferme Brylee de Thurso à la Ferme du Terroir de Val-des-Monts, en passant par la Sanglière de l'Outaouais, à Ange-Gardien. Fait à noter : dans cette région où les fermes sont généralement de petite taille, on élève tranquillement le bœuf « naturellement Outaouais », un bœuf nourri aux pâturages qui ne reçoit ni farines animales ni médicaments. Bœuf engraissé à l'herbe, veau des prés, agneau de pâturages : interprétation et délices attendent ici les touristes. Sur réservation seulement.

DU CHAMP À L'ASSIETTE

Une balade en wagon parmi les bisons, ça vous dit ? Au Ranch panoramique de Wakefield, les visiteurs se promènent parmi les troupeaux dans les champs pour observer ces ruminants autrement disparus du paysage. Maigre et riche en fer, la viande de bison vous y est servie en burger. À la boutique, vous pourrez faire vos provisions, entre autres de rouleaux impériaux ! Une qualité « du champ à l'assiette » que les visiteurs sont à même d'apprécier dans chaque petite attention.

AUTOCUEILLETTE SUR L'EAU

Pour l'autocueillette, un détour par le Potager Eardley à Gatineau satisfera les estomacs, petits et grands. Fraises, bleuets, framboises, courges et citrouilles y poussent selon la saison. Vous y trouverez notamment une dizaine de variétés de fraises : les Veestar, Sable, Glooscap, Cavendish, Cabot, Chambly, Honeoye, Kent, Jewel et Mira. Des jeux pour les enfants, une miniferme où les câlins sont encouragés et une boutique de produits cuisinés maison ont aussi été aménagés pour les visiteurs. Les autocueilleurs, eux, seront conquis par les champs de fruits et légumes, qui offrent une vue imprenable sur la rivière des Outaouais. Beau et bon à couper le souffle.

Coup de cœur
LES SAUCISSES DE SANGLIER DE LA FERME PAR TOUTATIS,
à Farrellton, vendues à la ferme et dans les marchés publics de l'Outaouais.

ROMAIN RIVA

Ce qui sous-tend la vocation de ce chef d'origine française ? La passion de découvrir chaque jour de nouveaux plaisirs de la table.

DÉCOUVREZ SA CUISINE ICI

Auberge Le Moulin Wakefield
60, chemin Mill, à Wakefield

Le plaisir simple et pur du terroir de l'Outaouais, voilà ce que propose ce joli moulin et spa du Parc de la Gatineau.

Pas compliquée, cette tarte est la première recette que j'ai cuisinée étant très jeune, avec ma tante. Elle me rappelle les bonheurs de mon enfance et le goût des bonnes tomates. Bien sûr, au lieu de vous procurer des sacs de fromage râpé, vous pouvez râper votre fromage préféré.

Tarte à la tomate

{8 portions • Préparation : 10 min • Cuisson : de 25 à 35 min}

1	abaisse de pâte salée de 23 cm (9 po), maison ou du commerce	1
2 c. à tab	moutarde de Dijon	30 ml
20	belles tomates du jardin bien mûres	20
2	sacs (380 g chacun) de fromage râpé de votre choix	2
	quelques branches de thym frais, haché finement	
	quelques branches de romarin frais, haché finement	
	gros sel de Guérande ou fleur de sel, poivre noir frais moulu	

{1} Préchauffer le four à 190 °C (375 °F). {2} Tapisser le fond d'une assiette à tarte profonde avec l'abaisse de pâte salée. {3} Badigeonner uniformément de moutarde de Dijon. {4} Trancher les tomates et en disposer une couche sur la moutarde. {5} Saupoudrer d'une couche de fromage râpé. Assaisonner de thym et de romarin, saler et poivrer. {6} Répéter ces couches successives de tomates et de fromage, en assaisonnant chaque fois, jusqu'à hauteur de votre assiette à tarte. {7} Cuire au four préchauffé de 25 à 35 minutes. {8} Retirer la tarte du four et la laisser tiédir. Elle sera encore meilleure réchauffée le lendemain. {9} Servir en apéro ou pour accompagner viandes ou poissons.

Plongé dans son gras, le confit se conserve longtemps au frigo, ce qui en fait le *fast food* gourmet par excellence, à garder sous la main en tout temps. Quand les amis arrivent à l'improviste, 10 minutes et c'est prêt !

Confit de canard et sa salade au fromage de chèvre et aux canneberges

{6 portions • Préparation : 10 min • Réfrigération : 12 h • Cuisson : de 2 h 15 min à 3 h 15 min}

6	cuisses de canard (de Barbarie ou mulard)	6
	gros sel	
	gras de canard fondu ou lard	
1/4 t	moutarde de Dijon	60 ml
1/4 t	vinaigre de vin rouge	60 ml
1 t	huile végétale	250 ml
8 t	mesclun de laitues	2 L
6 oz	fromage de chèvre frais, émietté	180 g
6 oz	canneberges séchées	180 g
	sel et poivre noir frais moulu	

Confit

{1} Frotter les cuisses de canard de gros sel et laisser reposer toute la nuit au réfrigérateur. {2} Enlever l'excédent de sel. Placer les cuisses dans un faitout et couvrir de gras de canard fondu ou de lard. {3} Faire mijoter très doucement de 2 à 3 heures, jusqu'à ce que la chair se retire des extrémités, découvrant l'os d'environ 2,5 cm (1 po)*. {4} Préchauffer le four à 200 °C (400 °F). {5} Retirer délicatement les cuisses du gras. Transférer dans une poêle allant au four, la peau vers le haut. {6} Cuire au four préchauffé 7 minutes, tourner les cuisses peau vers le bas et cuire encore 7 minutes, jusqu'à ce que la peau soit dorée et croustillante.

Vinaigrette

{7} Fouetter ensemble la moutarde et le vinaigre. {8} Ajouter l'huile en filet, en fouettant. Saler et poivrer au goût.

Salade

{9} Touiller la salade avec suffisamment de vinaigrette pour napper légèrement les laitues. {10} Répartir la salade dans six bols. Parsemer de fromage de chèvre et de canneberges. Placer un confit sur chaque salade. Bon appétit !

* Si vous ne pensez pas servir les cuisses immédiatement, les retirer du gras et les transférer dans une grande casserole. Les recouvrir complètement de gras, les laisser refroidir et réfrigérer. Le confit peut être conservé de cette façon pendant quelques mois pour un souper gastronomique improvisé.

Coup de cœur

LES FROMAGES DE CHÈVRE ARTISANAUX DE LA FERME FLORALPE, **à Papineauville, de la simple bûchette aux boules aromatisées.**

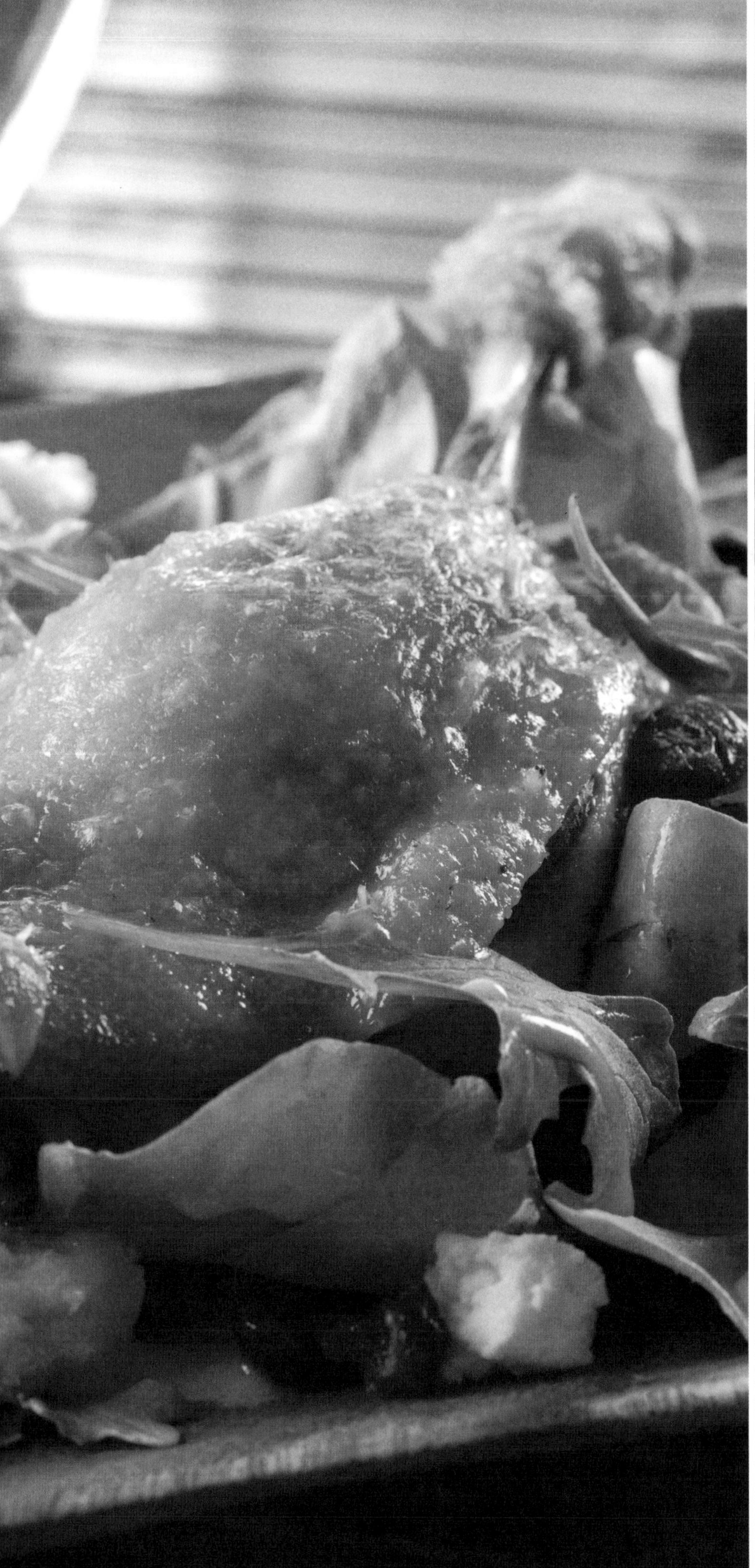

CHARLES PART

Ce chef britannique formé à Londres a transformé une ancienne station-service en restaurant gastronomique incontournable.

DÉCOUVREZ SA CUISINE ICI

Les Fougères
783, route 105, à Chelsea

Côté foyer ou côté véranda, cette table du terroir se fait très raffinée en proposant aussi bien des menus dégustation ou végétariens que des menus pour enfants.

Coup de cœur

LE GOÛT
DU POULET
DE LA FERME
AUX SAVEURS
DES MONTS,
de Val-des-Monts, élevé dans le respect et sans antibiotiques.

GÉRARD FISCHER

Après des études à Strasbourg, en France, ce chef a roulé sa bosse en Europe. Il enseigne à l'école hôtelière de Gatineau.

DÉCOUVREZ SA CUISINE ICI

Le Tartuffe
133, rue Notre-Dame-de-l'Île, à Gatineau

Heureux mélange de saveurs françaises et du terroir de l'Outaouais, cette table champêtre propose une cuisine fraîche et chaleureuse.

J'ai grandi sur une ferme, et cette recette me rappelle l'époque où ma mère faisait rôtir le poulet élevé chez nous. Petit, j'adorais ce plat, vite préparé et savoureux, avec son bon goût de légumes frais du jardin.

Poulet rôti aux légumes

{4 portions • Préparation : 15 min • Cuisson : 1 h 15 min}

1	poulet entier de 1 kg (2 lb), de préférence fermier	1
2 c. à tab	herbes fraîches (thym, romarin et origan)	30 ml
1 c. à tab	ail, haché	15 ml
1 c. à thé	chacun, sel et poivre noir frais moulu (ou plus au goût)	5 ml
2 c. à tab	huile d'olive vierge extra	30 ml
2	branches de céleri	2
4	pommes de terre moyennes, pelées	4
4	carottes moyennes, pelées	4
1	oignon rouge, pelé	1
2	tomates moyennes	2

{1} Préchauffer le four à 190 °C (375 °F). {2} Bien rincer puis essuyer le poulet et le transférer dans un grand plat allant au four. {3} Dans un bol, combiner les herbes fraîches, l'ail, le sel et le poivre. Ajouter l'huile d'olive et bien mélanger. {4} Verser sur le poulet et cuire au four préchauffé 1 heure 15 minutes.

Légumes

{5} Entre-temps, couper les légumes en gros morceaux. Après 30 minutes de cuisson du poulet, ajouter les légumes au fond du plat. {6} Réduire la température du four à 180 °C (350 °F) et poursuivre la cuisson environ 45 minutes. Arroser aux 15 minutes.

Note : Le poulet est cuit quand sa température interne atteint 75 °C (160 °F) au thermomètre à viande. Si le poulet grille trop rapidement vers la fin, réduire la température du four ou couvrir le plat de papier d'aluminium.

J'aime le foie gras poêlé parce qu'il est spectaculaire et pourtant si facile à préparer. Avec la compote et la tuile, qui se cuisinent à l'avance, c'est un succès garanti !

Escalope de foie gras de canard poêlée, compote de prunes et tuile balsamique

{4 portions • Préparation : 45 min • Cuisson : 30 min • Repos : 30 min}

10 oz	prunes italiennes (ou quetsches), dénoyautées	300 g
1/4 t	beurre	60 ml
1/4 t	sucre	60 ml
1/4	bâton de cannelle	1/4
1/4 t	vinaigre balsamique	60 ml
1/3 t	farine	80 ml
4	escalopes de foie gras de 90 g (3 oz) chacune	4
1/3 t	pousses de cresson	80 ml
	fleur de sel et poivre noir frais moulu	

Compote

{1} Dans une casserole, combiner les prunes, 45 ml (3 c. à tab) de beurre, 45 ml (3 c. à tab) de sucre et la cannelle. {2} Cuire à feu doux jusqu'à l'obtention d'une compote, environ 10 minutes. {3} Goûter la compote pour s'assurer de l'équilibre entre le sucré et l'acide. Ajouter du sucre ou du vinaigre au besoin. {4} Laisser égoutter la compote en récupérant le jus de cuisson. {5} Dans la même casserole, faire réduire de moitié 30 ml (2 c. à tab) de vinaigre balsamique, puis ajouter le jus de cuisson de la compote et cuire quelques minutes, jusqu'à l'obtention d'un sirop.

Tuile

{6} Préchauffer le four à 180 °C (350 °F). {7} Dans une petite casserole, combiner le reste du vinaigre balsamique et le reste du sucre, puis cuire à feu moyen-doux jusqu'à l'obtention d'un caramel, de 2 à 3 minutes. {8} Ajouter le reste du beurre, puis la farine. Laisser reposer cette pâte 30 minutes à la température ambiante. {9} Sur une plaque à pâtisserie tapissée de papier parchemin ou une toile de cuisson antiadhésive Silpat, former des tuiles en étalant une couche très mince de pâte de la forme désirée. {10} Cuire au four préchauffé environ 10 minutes ou jusqu'à l'obtention d'une belle couleur dorée.

Foie gras

{11} Assaisonner les escalopes de foie gras. {12} Dans une poêle antiadhésive très chaude, saisir les escalopes 1 minute de chaque côté. Égoutter et éponger sur un linge ou un essuie-tout. {13} Dans quatre assiettes, verser un peu de compote de prunes tiède. Y déposer une escalope de foie gras. Décorer d'un filet de réduction de vinaigre balsamique. Saler et poivrer. Décorer avec les tuiles et les pousses de cresson.

Coup de cœur

LES PINTADES D'AUTOMNE DE PLUMES DES CHAMPS, **à Rigaud, vendues entre autres dans les marchés champêtres de la région et à la ferme.**

SERGE JOST

D'une famille de vignerons d'Alsace, ce chef a travaillé dans des restos sélectionnés Michelin en Europe et à Hong Kong, ainsi qu'au Beaver Club, à Montréal.

DÉCOUVREZ SA CUISINE ICI

Fairmont Le Château Montebello

392, rue Notre-Dame, à Montebello

Cet hôtel en bois rond élégant et rustique vous invite à savourer une authentique cuisine du terroir au pied de la rivière des Outaouais.

Coup de cœur

LES MIELS D'ANICET, miellerie biologique de Ferme-Neuve qui pratique l'extraction à froid et sans pasteurisation.

JEAN-CLAUDE CHARTRAND

Ce chef proprio a travaillé au Château Laurier et au Château Montebello, en plus d'effectuer un stage en Chine.

DÉCOUVREZ SA CUISINE ICI

L'Orée du Bois
15, chemin Kingsmere, à Chelsea

À 15 minutes de Gatineau, ce resto aménagé dans une vieille maison de ferme propose sa cuisine française dans un décor rustique.

Rien de mieux que le popcorn, ici en version actualisée, pour accompagner un bon film en famille ou pour s'installer devant le foyer, sous les couvertures. Servez-le avec un grand verre de lait... à l'armagnac pour les parents !

Popcorn à l'érable et à la fleur de sel

{4 portions • Préparation : 5 min • Cuisson : 30 min}

1 c. à tab	huile de canola	15 ml
1/2 t	maïs à éclater	125 ml
1 t	sirop d'érable	250 ml
1/4 t	beurre	60 ml
1 c. à thé	fleur de sel	5 ml

{1} Préchauffer le four à 180 °C (350 °F). {2} Dans une petite casserole avec couvercle, chauffer l'huile à feu vif. Ajouter le maïs et mélanger pour bien enrober d'huile chaque grain. {3} Couvrir et cuire en remuant la casserole sans cesse, jusqu'à ce qu'il n'y ait plus aucun son de maïs qui éclate. {4} Retirer les grains non éclatés de la casserole. Réserver.

Garniture à l'érable

{5} Dans un poêlon à feu moyen-vif, faire réduire le sirop d'érable de moitié. S'il caramélise trop, réduire le feu. {6} Ajouter le beurre et remuer pour le faire fondre. {7} Verser le tout sur le maïs soufflé et mélanger délicatement pour bien enrober chaque grain.

{8} Étaler le maïs soufflé sur une plaque à pâtisserie et cuire au four préchauffé de 10 à 12 minutes. Remuer aux 3 minutes. {9} Retirer le maïs bien sec et caramélisé du four, puis le saupoudrer de fleur de sel. {10} Laisser refroidir et savourer.

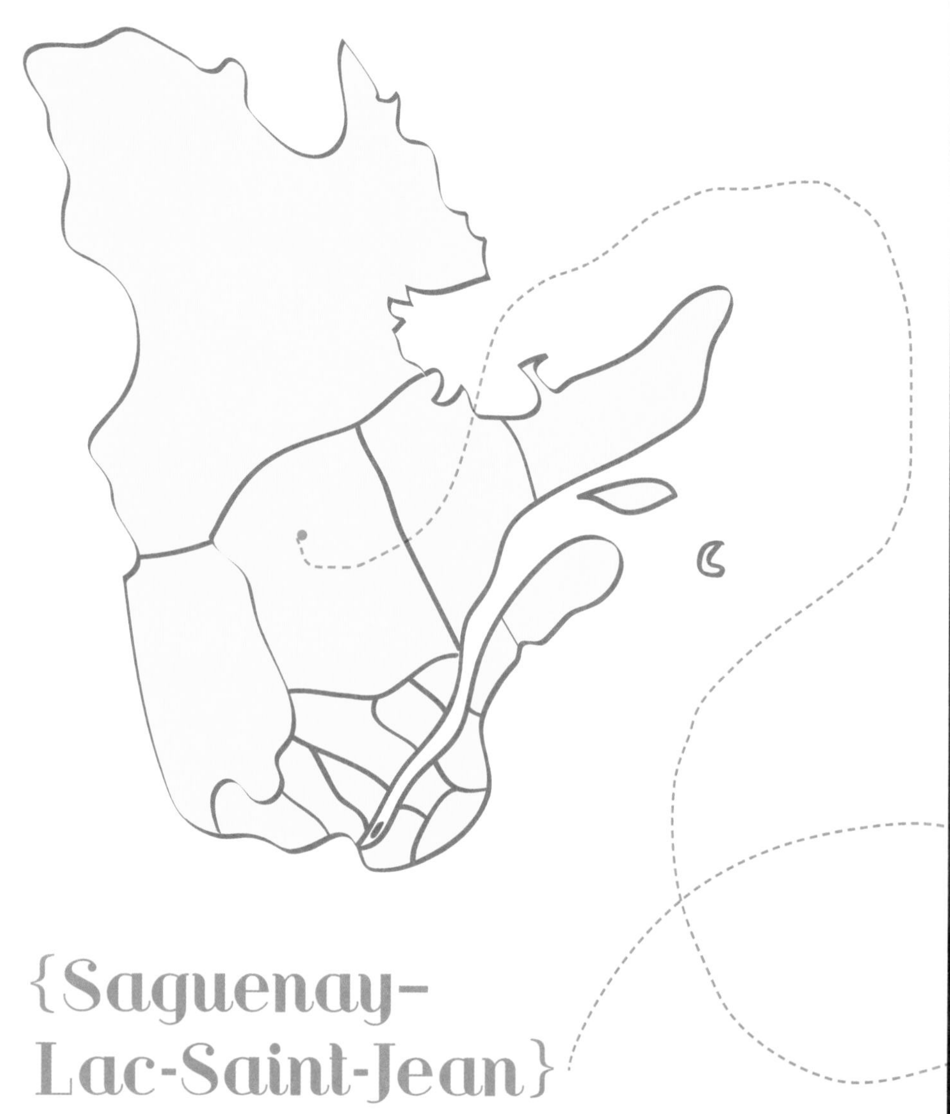

{Saguenay–Lac-Saint-Jean}

Pas besoin d'être un Bleuet pour goûter le terroir du Saguenay–Lac-Saint-Jean. De la ouananiche à la tourtière du Lac (à ne pas confondre avec le pâté à la viande, au risque de voir les esprits s'enflammer), ce royaume autoproclamé nous a légué de grandes traditions culinaires. Aujourd'hui, on le visite aussi pour ses nombreuses fromageries, ses microbrasseries artisanales et ses pourvoiries sauvages, toutes très d'adon...

Route des fromages fins du Québec

Ex-æquo avec la Montérégie, le Saguenay–Lac-Saint-Jean compte le plus grand nombre de fromageries de cette route : 11 au total. Tous les amateurs sont servis au pays du Kénogami ! Son producteur, la Fromagerie Lehmann, est d'ailleurs un must du circuit.

Festival Bières du monde du Saguenay

En juillet, les microbrasseries envahissent Chicoutimi pour cet événement mettant en vedette 200 bières, 60 kiosques et des produits du terroir à déguster. Vous êtes plus raisin que malt ? Chicoutimi a aussi son Festival des vins du Saguenay, début juillet.

Du kiosque à la ferme

De Saint-Félicien à Saint-Prime, en passant par Métabetchouan et Roberval, ce réseau regroupe 17 producteurs de fruits (souvent en autocueillette), de légumes et de délices maison. L'autre tour du lac Saint-Jean.

AU ROYAUME DES BLEUETS

N'en déplaise aux autres régions, dans l'imaginaire collectif du Québec, un bleuet, ça vient du Lac-Saint-Jean. C'est ici que vous trouverez le Festival du bleuet de Dolbeau-Mistassini, « cité du bleuet », qui célèbre le début de la cueillette à la mi-août. Au programme : des dégustations, un défilé de nuit, un souper dans la rue, une tonne d'activités et même un prix de la chanson. Les visiteurs voudront aussi se délecter des chocolats aux bleuets des Pères trappistes de Mistassini. Enfin, n'oubliez pas de faire un petit détour par le Centre d'interprétation du bleuet à La Magie du Sous-Bois, pour la visite guidée et l'autocueillette.

L'hydromel au bleuet de Miel des ruisseaux, à Alma

La bière La Fleur du malt de la Microbrasserie La Voie maltée, à Chicoutimi et à Jonquière

LE ROI DES FROMAGES ?

C'est dans la vieille fromagerie Perron de Saint-Prime qu'est installé depuis 1992 le Musée du fromage cheddar. Durant la visite d'une heure, on apprend tout de la fabrication du cheddar, puis on déguste le produit final. Un comptoir de vente permet de repartir avec son butin – en vélo, pourquoi pas, puisque la Véloroute des Bleuets s'arrête ici dans sa tournée du Lac-Saint-Jean. Vous êtes loin du Lac ? Pas de problème, les fromages Perron sont vendus en supermarché.

PLUS QUÉBÉCOIS QUE ÇA…

Allez expliquer pourquoi les Québécois connaissent le curcuma, mais pas la racine d'angélique ! Les herbes et épices de la forêt boréale, notre héritage, demeurent encore méconnues. S'il n'en tient que de la Coopérative forestière de Girardville, dont la gamme d'épices d'Origina est certifiée biologique, nous serons bientôt plus nombreux à relever nos plats d'armoise, de rhubarbe du diable, de fleurs d'épilobe, de poivre des dunes ou de gadelles sauvages. Récoltées en saison par des cueilleurs de saveurs, ces racines, feuilles et fleurs de la forêt boréale sont à découvrir absolument.

Les liqueurs de framboise du Domaine Le Cageot, à Jonquière

Les agneaux de la Bergerie La Terre promise, à Saint-Nazaire

Coup de cœur

LE SIROP DE BOULEAU L'ARBORÉ, de La Maison du bouleau blanc, un sirop naturel au goût de caramel avec une finale épicée.

MICHEL DAIGLE

Installé à Jonquière depuis 15 ans, ce chef a aussi fait sa marque à La Closerie et au Café des artistes, à Québec.

DÉCOUVREZ SA CUISINE ICI

Le Bergerac
3919, rue Saint-Jean,
à Jonquière

Mélanges inattendus et aromates originaux : Le Bergerac joue la simplicité et l'audace aux accents d'ici et d'ailleurs.

Voici une vieille recette d'étudiant que je fais depuis toujours, en variant les ingrédients selon le contenu du garde-manger. Après les longues heures au resto, c'est mon passe-partout préféré. J'ai toujours une boîte de thon sous la main, au cas où…

Grilled cheese au thon et au fromage Valbert

{2 portions • Préparation : 5 min • Cuisson : 5 min}

1	boîte (170 g) de thon dans l'huile, bien égoutté	1
1/4 t	céleri en petits dés	60 ml
1/4 t	fromage Valbert, râpé (ou cheddar fort)	60 ml
1	oignon vert, haché finement	1
3 c. à tab	mayonnaise	45 ml
1/4 c. à thé	poudre de cari	1 ml
2 c. à tab	persil plat, haché finement	30 ml
4	tranches de bon pain de campagne	4
4 c. à thé	beurre	20 ml
	sel et poivre noir frais moulu, au goût	

{1} Dans un bol, combiner tous les ingrédients sauf le pain et le beurre. {2} Séparer le mélange en deux et en tartiner 2 tranches de pain. Recouvrir des autres tranches de pain, en sandwich. {3} Beurrer l'extérieur des sandwichs. {4} Dans une poêle bien chaude, faire dorer les sandwichs 1 minute de chaque côté. {5} Servir chaud, accompagné de croustilles, de crudités, d'olives, etc.

ÉRIC GROSJEAN

Après 10 ans dans une table champêtre, il prône la bistronomie et une cuisine-rencontre entre terroir québécois et influences belges.

DÉCOUVREZ SA CUISINE ICI

Bistrot Boris & Biscotti
255, rue Racine Est, à Chicoutimi

B & B, c'est un bistro sympa près du Vieux-Port de Chicoutimi où les amateurs de moules peuvent souvent les déguster à volonté.

Cette recette de moules est celle de notre bistro, mais c'est aussi et surtout une recette de famille, qui me provient de ma grand-mère paternelle. Parfois, je fais réduire le bouillon, j'ajoute de la crème et je sers le tout sur des pâtes.

Moules à la bière d'abbaye

{2 portions en entrée • Préparation : 10 min • Cuisson : 10 min}

2 lb	moules cultivées	1 kg
2 c. à tab	beurre	30 ml
1/2 t	bière d'abbaye ou vin blanc	125 ml
	poivre noir frais moulu	

Légumes coupés en mirepoix*

1/4 t	céleri	60 ml
1/4 t	carotte	60 ml
1/4 t	blanc de poireau	60 ml

* Cubes de 1 cm (1/3 po)

{1} Dans un évier rempli d'eau glacée, vider le sac de moules pour les nettoyer. Ne conserver que les moules fermées et non abîmées ; jeter celles dont la coquille est cassée ou reste ouverte. {2} Dans une marmite avec couvercle, faire fondre le beurre à feu moyen. Y faire revenir les légumes. {3} Déglacer avec la bière d'abbaye ou le vin blanc. Lorsque les légumes commencent à s'attendrir, ajouter les moules. {4} Poivrer (une bonne vingtaine de tours de moulin à poivre). {5} Couvrir et cuire 7 minutes tout au plus. (La cuisson est primordiale pour réussir ce plat. Trop peu cuit, vous n'obtiendrez pas le goût et le moelleux du mollusque ; trop cuit, vous aurez en bouche une texture caoutchouteuse.)

Truc du chef : La chaleur fait ouvrir les coquilles, donc si la majorité des moules sont ouvertes et que leur chair semble ferme et humide, il est temps de les verser dans un grand bol et de les servir sans tarder.

Variantes : Ce plat peut devenir la base de vos extravagances culinaires. Vous pouvez ajouter de la crème 35 %, du lait de coco et de la coriandre, du yogourt et du cari, de la crème et de la moutarde pour en varier les saveurs et les arômes.

DAVID ROUSSEAU

Ce chef cuisinier a mis les pieds dans sa première cuisine à 16 ans. C'était le début d'une carrière qui l'a mené entre autres au Capitol de Québec.

DÉCOUVREZ SA CUISINE ICI

Restaurant La Cuisine
387, rue Racine Est, à Chicoutimi

Ce resto à l'ambiance urbaine est célébré par les gourmets locaux pour sa fine cuisine très souvent inspirée de l'Asie.

Ma mère était végétarienne. Alors, quand j'étais enfant, cette recette faisait presque invariablement partie de ma boîte à lunch ou constituait un repas. Aujourd'hui, je cuisine tartares et foie gras... mais ça, c'est une autre histoire !

Cretonnade de tofu

{4 portions • Préparation : 10 min • Réfrigération : 12 h}

1	bloc (454 g) de tofu	1
3 c. à tab	levure Torula	45 ml
3 c. à tab	sauce tamari	45 ml
1/2	gousse d'ail, hachée finement	1/2
4 c. à thé	oignon rouge, haché finement	20 ml
	sel et poivre noir frais moulu, au goût	

{1} Éponger le tofu avec du papier essuie-tout. {2} L'écraser au pilon à légumes pour obtenir une texture fine. {3} Verser le tofu dans un bol, ajouter tous les autres ingrédients et mélanger. {4} Transférer dans un plat et bien tasser. {5} Couvrir ou sceller avec de la pellicule plastique et laisser reposer au réfrigérateur 12 heures. {6} Servir comme désiré (cette cretonnade sera délicieuse sur du pain de seigle grillé, garnie de luzerne et de moutarde forte).

Tous les petits Français adorent ce dessert. Et parce que le contenant de yaourt sert de mesure, ce gâteau est idéal pour cuisiner avec les enfants. Vous pouvez le servir nature, avec votre glaçage favori ou arrosé de crème anglaise.

Gâteau au yaourt de mamie Pachon

{12 portions • Préparation : 15 min • Cuisson : 30 min}

1	contenant (175 g) de yaourt nature (ou 250 ml/1 t)	1
1 t	huile végétale (ou 1 contenant de yaourt)	250 ml
2 t	sucre (ou 2 contenants de yaourt)	500 ml
1 t	farine (ou 1 contenant de yaourt)	250 ml
3	œufs	3
2 c. à thé	levure chimique (poudre à lever)	10 ml
	beurre ou graisse végétale et farine, pour le moule	

{1} Préchauffer le four à 190 °C (375 °F). {2} Graisser et fariner un moule tubulaire (à cheminée). {3} À l'aide d'une cuillère de bois, mélanger les ingrédients et verser le tout dans le moule. {4} Cuire au four préchauffé 30 minutes ou jusqu'à ce qu'un cure-dents inséré au centre du gâteau en ressorte propre.

DANIEL PACHON

Né en France, ce chef proprio est un Bleuet d'importation, implanté au Saguenay depuis 40 ans.

DÉCOUVREZ SA CUISINE ICI

Auberge Villa Pachon
1904, rue Perron,
à Jonquière

Joyau architectural du Saguenay, l'Auberge propose une cuisine française à saveur régionale, dont un réputé cassoulet.

index
par
ingrédients

BIÈRES, VINS ET ALCOOLS

Beurre de pomme, vanille et cidre de glace 92
Bodding de Vivi 172
Carré d'agneau au bleu et au porto sur le barbecue 142
Cassoulet ardéchois 140
Côte de porc braisée et sa fondue de poireaux au fromage 1608 74
Crème d'oignons caramélisés à la bière Taïga 20
Croustade de magret de canard au Migneron 70
Filets de bœuf à la japonaise 122
Gâteau aux noix de mon enfance 198
Gratin de courgettes farcies au porc 86
Lapin à la napolitaine 116
Médaillons de veau et leur sauce au gingembre 132
Mon jarret de bœuf 12 heures 124
Moules à la bière d'abbaye 234
Navarin de canard à l'érable 208
Pâtes à la jardinière de pétoncles 158
Petit sandwich de pétoncles et fraises 196
Pintade rôtie aux champignons, sauce au vin rouge et purée de pommes de terre 178
Saumon mariné à l'érable et à l'aneth 34
Sauté de poulet minute 50
Short ribs de bœuf, style bistro 98
Suprême de poulet à l'érable et au cidre de glace 170

CHOCOLAT ET CACAO

Pouding au chocolat de maman 90
Salade de fraises et son crémeux de yogourt au chocolat blanc 126
Sucettes au chocolat au lait et au thé chai 78

FROMAGE

Burgers de saucisse italienne 62
Carré d'agneau au bleu et au porto sur le barbecue 142
Confit de canard et sa salade au fromage de chèvre et aux canneberges 220
Côte de porc braisée et sa fondue de poireaux au fromage 1608 74
Croustade de magret de canard au Migneron 70
Croustillant de légumes marinés au Galarneau 84
Gnocchi della Zia Lina 182
Gratin de courgettes farcies au porc 86
Grilled cheese au thon et au fromage Valbert 232
Linguines à la betterave 168
Mac & Cheese au lard et à l'huile de truffe 48
Mignon de porc aux pommes 22
Pâtes au gratin de maman 166
Pâtes fraîches au foie gras, aux chanterelles et à la Tomme des Demoiselles 154
Pâtes fraîches maison et légumes primeurs 184
Pavé de saumon à la vapeur de pesto, poêlée de champignons et d'épinards à la crème de parmesan 134
Petit sandwich de pétoncles et fraises 196
Petits farcis à l'agneau et au tournesol 30
Pizza déjeuner au canard fumé et au gratin de cheddar fort 58
Poulet farci aux asperges et au fromage oka, crème de pesto 100
Salade composée au fromage frais 164
Salade de saumon fumé à la méditerranéenne 136
Tarte à la tomate 218

FRUITS

Banane
Smoothie de fruits à la menthe 148

Canneberge
Smoothie de fruits à la menthe 148

Citron
Bodding de Vivi 172
Pintade rôtie aux champignons, sauce au vin rouge et purée de pommes de terre 178
Relish aux poivrons rouges 212
Rillettes de crabe des neiges, mayonnaise à l'huile d'olive et au piri-piri 118
Salade de fraises et son crémeux de yogourt au chocolat blanc 126
Salade de sardines façon tapas 114
Salade de saumon fumé à la méditerranéenne 136
Tartare de saumon de l'Atlantique à la saveur d'érable 192

Clémentine
Soupe de panais à la clémentine 110

Fraise
Petit sandwich de pétoncles et fraises 196
Salade de fraises et son crémeux de yogourt au chocolat blanc 126
Smoothie de fruits à la menthe 148

Lime
Ceviche de pétoncles au lait de coco 44
Ceviche de tilapia 204
Médaillons de veau et leur sauce au gingembre 132

Mûre
Smoothie de fruits à la menthe 148

Orange
Gaufres au zeste d'orange des enfants 60
Salade de saumon fumé à la méditerranéenne 136
Smoothie de fruits à la menthe 148
Tarte à l'orange 52

Poire
Salade de sardines, façon tapas 114

Pomme
Beurre de pomme, vanille et cidre de glace 92
Bodding de Vivi 172
Cari de poulet à la noix de coco 88
Mignon de porc aux pommes 22
Salade tiède de foies de volaille aux pommes et moutarde à l'ancienne 64

Prune
Escalope de foie gras de canard poêlée, compote de prunes et tuile balsamique 224

Rhubarbe
Gâteau à la rhubarbe et à l'érable 144

GINGEMBRE
Cari de poulet à la noix de coco 88
Ceviche de pétoncles au lait de coco 44
Médaillons de veau et leur sauce au gingembre 132
Petit sandwich de pétoncles et fraises 196

GRAINES, NOIX ET FRUITS SÉCHÉS
Bodding de Vivi 172
Cari de poulet à la noix de coco 88
Ceviche de pétoncles au lait de coco 44
Confit de canard et sa salade au fromage de chèvre et aux canneberges 220
Gâteau aux dattes de madame Talbot, version 1964 36
Gâteau aux noix de mon enfance 198
Petits farcis à l'agneau et au tournesol 30
Salade composée au fromage frais 164

LAIT, LAIT CONCENTRÉ, CRÈME ET YOGOURT
Bec sucré à Pépère 24
Bodding de Vivi 172
Cassoulet ardéchois 140
Chaudrée de fruits de mer 32
Côte de porc braisée et sa fondue de poireaux au fromage 1608 74
Crème d'oignons caramélisés à la bière Taïga 20
Escalope de bœuf panée, sauce chipotle et purée de pommes de terre 120
Galettes à Anette 112
Gâteau à la rhubarbe et à l'érable 144
Gâteau au yaourt de mamie Pachon 238
Gaufres au zeste d'orange des enfants 60
Le pain de viande de Jehane 46
Mignon de porc aux pommes 22
Pâté aux pommes de terre 190
Pâtes à la jardinière de pétoncles 158
Pavé de saumon à la vapeur de pesto, poêlée de champignons et d'épinards à la crème de parmesan 134
Pintade rôtie aux champignons, sauce au vin rouge et purée de pommes de terre 178
Pizza déjeuner au canard fumé et au gratin de cheddar fort 58
Potage minute à la citrouille de ma grand-mère 42
Pouding au chocolat de maman 90
Poulet farci aux asperges et au fromage oka, crème de pesto 100
Rôti de longe de porc et maïs en crème 138
Salade de fraises et son crémeux de yogourt au chocolat blanc 126
Sauce gourmande au caramel 210
Sauté de poulet minute 50
Smoothie de fruits à la menthe 148
Soupe de panais à la clémentine 110
Sucre à la crème style cabane 146
Suprême de poulet à l'érable et au cidre de glace 170
Tartines aux œufs pochés, saumon fumé et beurre de truffe 108

LÉGUMES

Asperge
Poulet farci aux asperges et au fromage oka, crème de pesto 100

Aubergine
Petits farcis à l'agneau et au tournesol 30

Betterave
Linguines à la betterave 168

Carotte
Carré d'agneau au bleu et au porto sur le barbecue 142
Cassoulet ardéchois 140
Ma souris d'agneau et sa laque d'épices douces 76
Mon jarret de bœuf 12 heures 124
Moules à la bière d'abbaye 234
Navarin de canard à l'érable 208
Pâtes à la jardinière de pétoncles 158
Poulet rôti aux légumes 222
Salade d'hiver 102
Short ribs de bœuf, style bistro 98
Soupe de panais à la clémentine 110

Céleri et céleri-rave

Grilled cheese au thon et au fromage Valbert 232
Ma souris d'agneau et sa laque d'épices douces 76
Moules à la bière d'abbaye 234
Pâtes à la jardinière de pétoncles 158
Poulet rôti aux légumes 222
Soupe de panais à la clémentine 110
« Short ribs » de bœuf, style bistro 98

Champignon

Carré d'agneau au bleu et au porto sur le barbecue 142
Croustillant de légumes marinés au Galarneau 84
Gnocchi della Zia Lina 182
Mac & Cheese au lard et à l'huile de truffe 48
Pâtes fraîches au foie gras, aux chanterelles et à la Tomme des Demoiselles 154
Pâtes fraîches maison et légumes primeurs 184
Pavé de saumon à la vapeur de pesto, poêlée de champignons et d'épinards à la crème de parmesan 134
Pintade rôtie aux champignons, sauce au vin rouge et purée de pommes de terre 178
Poulet chasseur des Pyrénées 180
Salade composée au fromage frais 164
Sauté de poulet minute 50

Chou

Salade d'hiver 102

Citrouille

Potage minute à la citrouille de ma grand-mère 42

Concombre

Salade composée au fromage frais 164
Salade d'hiver 102

Courgette

Croustillant de légumes marinés au Galarneau 84
Gratin de courgettes farcies au porc 86
Pâtes à la jardinière de pétoncles 158
Petits farcis à l'agneau et au tournesol 30

Épinards

Linguines à la betterave 168
Médaillons de veau et leur sauce au gingembre 132
Pavé de saumon à la vapeur de pesto, poêlée de champignons et d'épinards à la crème de parmesan 134
Salade tiède de foies de volaille aux pommes et moutarde à l'ancienne 64

Fenouil

Salade de sardines, façon tapas 114
Salade de saumon fumé à la méditerranéenne 136

Laitue

Burgers de saucisse italienne ... 62

Confit de canard et sa salade au fromage de chèvre et aux canneberges ... 220

Salade composée au fromage frais ... 164

Maïs

Popcorn à l'érable et à la fleur de sel ... 226

Rôti de longe de porc et maïs en crème ... 138

Navet et rutabaga

Navarin de canard à l'érable ... 208

Pâtes à la jardinière de pétoncles ... 158

Oignon

Burgers de saucisse italienne ... 62

Cassoulet ardéchois ... 140

Chaudrée de fruits de mer ... 32

Crème d'oignons caramélisés à la bière Taïga ... 20

Cretonnade de tofu ... 236

Croustillant de légumes marinés au Galarneau ... 84

Galettes à la morue ... 156

Gratin de courgettes farcies au porc ... 86

Le pain de viande de Jehane ... 46

Ma recette de bines ... 72

Ma souris d'agneau et sa laque d'épices douces ... 76

Mon jarret de bœuf 12 heures ... 124

Œufs sur le plat aux tomates ... 194

Pâtes au gratin de maman ... 166

Petit sandwich de pétoncles et fraises ... 196

Pizza déjeuner au canard fumé et au gratin de cheddar fort ... 58

Potage minute à la citrouille de ma grand-mère ... 42

Poulet chasseur des Pyrénées ... 180

Poulet rôti aux légumes ... 222

Rôti de longe de porc et maïs en crème ... 138

Salade d'hiver ... 102

Salade tiède de foies de volaille aux pommes et moutarde à l'ancienne ... 64

Sauté de poulet minute ... 50

Short ribs de bœuf, style bistro ... 98

Tomates farcies du paternel ... 206

Panais

Soupe de panais à la clémentine ... 110

Poireau

Côte de porc braisée et sa fondue de poireaux au fromage 1608 ... 74

Linguines à la betterave ... 168

Moules à la bière d'abbaye ... 234

Pâtes à la jardinière de pétoncles ... 158

Soupe de panais à la clémentine ... 110

Poivron et piment
Ceviche de pétoncles au lait de coco 44
Chaudrée de fruits de mer 32
Croustillant de légumes marinés au Galarneau 84
Escalope de bœuf panée, sauce chipotle et purée de pommes de terre 120
Pizza déjeuner au canard fumé et au gratin de cheddar fort 58
Relish aux poivrons rouges 212
Rôti de longe de porc et maïs en crème 138

Pois
Navarin de canard à l'érable 208

Pomme de terre
Chaudrée de fruits de mer 32
Crème d'oignons caramélisés à la bière Taïga 20
Croustade de magret de canard au Migneron 70
Escalope de bœuf panée, sauce chipotle et purée de pommes de terre 120
Galettes à la morue 156
Gnocchi della Zia Lina 182
Pâté aux pommes de terre 190
Pintade rôtie aux champignons, sauce au vin rouge et purée de pommes de terre 178
Poulet chasseur des Pyrénées 180
Poulet rôti aux légumes 222
Potage minute à la citrouille de ma grand-mère 42
Soupe de panais à la clémentine 110

Radis
Salade de sardines, façon tapas 114

Roquette
Pâtes fraîches maison et légumes primeur 184
Salade de saumon fumé à la méditerranéenne 136

Tomate
Ceviche de pétoncles au lait de coco 44
Ceviche de tilapia 204
Croustillant de légumes marinés au fromage Galarneau 84
Gnocchi della Zia Lina 182
Gratin de courgettes farcies au porc 86
Lapin à la napolitaine 116
Œufs sur le plat aux tomates 194
Pâtes au gratin de maman 166
Pâtes fraîches maison et légumes primeurs 184
Petits farcis à l'agneau et au tournesol 30
Poulet rôti aux légumes 222
Salade composée au fromage frais 164
Salade d'hiver 102
Short ribs de bœuf, style bistro 98
Tarte à la tomate 218
Tomates farcies du paternel 206

Topinambour
Mon jarret de bœuf 12 heures 124

LÉGUMINEUSES

Cassoulet ardéchois 140
Ma recette de bines 72

MÉLASSE, MIEL ET ÉRABLE

Bec sucré à Pépère 24
Bodding de Vivi 172
Crème d'oignons caramélisés à la bière Taïga 20
Filets de bœuf à la japonaise 122
Gâteau à la rhubarbe et à l'érable 144
Ma recette de bines 72
Navarin de canard à l'érable 208
Popcorn à l'érable et à la fleur de sel 226
Salade de fraises et son crémeux de yogourt au chocolat blanc 126
Saumon mariné à l'érable et à l'aneth 34
Soupe de panais à la clémentine 110
Sucre à la crème style cabane 146
Suprême de poulet à l'érable et au cidre de glace 170
Tartare de saumon de l'Atlantique à la saveur d'érable 192

ŒUFS

Bec sucré à Pépère 24
Bodding de Vivi 172
Escalope de boeuf panée, sauce chipotle et purée de pommes de terre 120
Galettes à Anette 112
Gâteau à la rhubarbe et à l'érable 144
Gâteau au yaourt de mamie Pachon 238
Gâteau aux dattes de Madame Talbot, version 1964 36
Gâteau aux noix de mon enfance 198
Gaufres au zeste d'orange des enfants 60
Gnocchi della Zia Lina 182
Le pain de viande de Jehane 46
Œufs sur le plat aux tomates 194
Pâté aux pommes de terre 190
Pâtes fraîches maison et légumes primeurs 184
Petits fracis à l'agneau et au tournesol 30
Pizza déjeuner au canard fumé et au gratin de cheddar fort 58
Rillettes de crabe des neiges, mayonnaise à l'huile d'olive et au pin-pin 118
Sauce gourmande au caramel 210
Tarte à l'orange 52
Tartines aux œufs pochés, saumon fumé et beurre de truffe 108
Tomates farcies du paternel 206

OLIVES

Lapin à la napolitaine 116

PAIN

Bec sucré à Pépère 24
Bodding de Vivi 172
Burgers de saucisse italienne 62
Grilled cheese au thon et au fromage Valbert 232
Œufs sur le plat aux tomates 194
Petit sandwich de pétoncles et fraises 196
Potage minute à la citrouille de ma grand-mère 42
Salade de sardines, façon tapas 114
Tartines aux œufs pochés, saumon fumé et beurre de truffe 108

PÂTES

Linguines à la betterave 168
Mac & Cheese au lard et à l'huile de truffe 48
Pâtes à la jardinière de pétoncles 158
Pâtes fraîches au foie gras, aux chanterelles et à la Tomme des Demoiselles 154
Pâtes au gratin de maman 166

POISSONS, FRUITS DE MER ET CRUSTACÉS

Crabe
Rillettes de crabe des neiges, mayonnaise à l'huile d'olive et au piri-piri 118

Homard
Chaudrée de fruits de mer 32

Morue
Galettes à la morue 156

Moules
Moules à la bière d'abbaye 234

Pétoncle
Ceviche de pétoncles au lait de coco 44
Chaudrée de fruits de mer 32
Pâtes à la jardinière de pétoncles 158
Petit sandwich de pétoncles et fraises 196

Sardine
Salade de sardines, façon tapas 114

Saumon
Pavé de saumon à la vapeur de pesto, poêlée de champignons et d'épinards à la crème de parmesan 134
Salade de saumon fumé à la méditerranéenne 136
Saumon mariné à l'érable et à l'aneth 34
Tartare de saumon de l'Atlantique à la saveur d'érable 192
Tartines aux œufs pochés, saumon fumé et beurre de truffe 108

Thon
Grilled cheese au thon et au fromage Valbert 232

Tilapia
Ceviche de tilapia 204

VIANDES

Agneau
Carré d'agneau au bleu et au porto sur le barbecue 142
Ma souris d'agneau et sa laque d'épices douces 76
Petits farcis à l'agneau et au tournesol 30

Bœuf
Burgers de saucisse italienne 62
Escalope de bœuf panée, sauce chipotle et purée de pommes de terre 120
Filets de bœuf à la japonaise 122
Le pain de viande de Jehane 46
Mon jarret de bœuf 12 heures 124
Pâtes au gratin de maman 166
Short ribs de bœuf, style bistro 98

Lapin
Lapin à la napolitaine 116

Porc, bacon et charcuteries
Cassoulet ardéchois 140
Côte de porc braisée et sa fondue de poireaux au fromage 1608 74
Gratin de courgettes farcies au porc 86
Le pain de viande de Jehane 46
Ma recette de bines 72
Mac & Cheese au lard et à l'huile de truffe 48
Mignon de porc aux pommes 22
Poulet chasseur des Pyrénées 180
Poulet farci aux asperges et au fromage oka, crème de pesto 100
Rôti de longe de porc et maïs en crème 138
Salade tiède de foies de volaille aux pommes et moutarde à l'ancienne 64
Tomates farcies du paternel 206

Saucisses
Burgers de saucisse italienne 62

Veau
Médaillons de veau et leur sauce au gingembre 132

VOLAILLES

Canard
Confit de canard et sa salade au fromage de chèvre et aux canneberges 220
Croustade de magret de canard au Migneron 70
Escalope de foie gras de canard poêlée, compote de prunes et tuile balsamique 224
Navarin de canard à l'érable 208
Pâtes fraîches au foie gras, aux chanterelles et à la Tomme des Demoiselles 154
Pizza déjeuner au canard fumé et au gratin de cheddar fort 58

Pintade
Pintade rôtie aux champignons, sauce au vin rouge et purée de pommes de terre 178

Poulet
Cari de poulet à la noix de coco 88
Poulet chasseur des Pyrénées 180
Poulet farci aux asperges et au fromage oka, crème de pesto 100
Poulet rôti aux légumes 222
Salade tiède de foies de volaille aux pommes et moutarde à l'ancienne 64
Sauté de poulet minute 50
Suprême de poulet à l'érable et au cidre de glace 170

ENTRÉES, SALADES ET SOUPES

Ceviche de pétoncles au lait de coco 44
Ceviche de tilapia 204
Chaudrée de fruits de mer 32
Crème d'oignons caramélisés à la bière Taïga 20
Potage minute à la citrouille de ma grand-mère 42
Rillettes de crabe des neiges, mayonnaise à l'huile d'olive et au piri-piri 118
Salade composée au fromage frais 164
Salade d'hiver 102
Salade de sardines, façon tapas 114
Salade de saumon fumé à la méditerranéenne 136
Salade tiède de foies de volaille aux pommes et moutarde à l'ancienne 64
Saumon mariné à l'érable et à l'aneth 34
Soupe de panais à la clémentine 110
Tartare de saumon de l'Atlantique à saveur d'érable 192
Tarte à la tomate 218

PLATS PRINCIPAUX

Pâtes, pâtés, pizzas et sandwichs

Croustillant de légumes marinés au Galarneau 84
Gnocchi della Zia Lina 182
Grilled cheese au thon et au fromage Valbert 232
Linguines à la betterave 168
Mac & Cheese au lard et à l'huile de truffe 48
Pâté aux pommes de terre 191
Pâtes à la jardinière de pétoncles 158
Pâtes au gratin de maman 166
Pâtes fraîches au foie gras, aux chanterelles et à la Tomme des Demoiselles 154
Pâtes fraîches maison et légumes primeurs 184
Petit sandwich de pétoncles et fraises 196

Poissons, crustacés et fruits de mer

Galettes à la morue 156
Moules à la bière d'abbaye 234
Pavé de saumon à la vapeur de pesto, poêlée de champignons et d'épinards à la crème de parmesan 134

Viandes

Burgers de saucisse italienne 62
Carré d'agneau au bleu et au porto sur le barbecue 142
Cassoulet ardéchois 140
Côte de porc braisée et sa fondue de poireaux au fromage 1608 74
Escalope de bœuf panée, sauce chipotle et purée de pommes de terre 120
Filets de bœuf à la japonaise 122
Gratin de courgettes farcies au porc 86
Lapin à la napolitaine 116
Le pain de viande de Jehane 46
Ma souris d'agneau et sa laque d'épices douces 76
Médaillons de veau et leur sauce au gingembre 132
Mignon de porc aux pommes 22
Mon jarret de bœuf 12 heures 124
Petits farcis à l'agneau et au tournesol 30
Rôti de longe de porc et maïs en crème 138
Short ribs de bœuf, style bistro 98
Tomates farcies du paternel 206

Volailles

Cari de poulet à la noix de coco 88
Confit de canard et sa salade au fromage de chèvre et aux canneberges 220
Croustade de magret de canard au Migneron 70
Escalope de foie gras de canard poêlée, compote de prunes et tuile balsamique 224
Navarin de canard à l'érable 208
Pintade rôtie aux champignons, sauce au vin rouge et purée de pommes de terre 178
Poulet chasseur des Pyrénées 180
Poulet farci aux asperges et au fromage oka, crème de pesto 100
Poulet rôti aux légumes 222
Sauté de poulet minute 50
Suprême de poulet à l'érable et au cidre de glace 170

DESSERTS

Bec sucré à Pépère 24
Bodding de Vivi 172
Galettes à Anette 112
Gâteau à la rhubarbe et à l'érable 144
Gâteau au yaourt de mamie Pachon 238
Gâteau aux dattes de madame Talbot, version 1964 36
Gâteau aux noix de mon enfance 198
Pouding au chocolat de maman 90
Salade de fraises et son crémeux de yogourt au chocolat blanc 126
Sauce gourmande au caramel 210
Sucettes au chocolat au lait et au thé chai 78
Sucre à la crème style cabane 146
Tarte à l'orange 52

DÉJEUNER

Beurre de pommes, vanille et cidre de glace 92
Cretonnade de tofu 237
Gaufres au zeste d'orange des enfants 61
Ma recette de bines 72
Œufs sur le plat aux tomates 194
Pizza déjeuner au canard fumé et au gratin de cheddar fort 58
Smoothie de fruits à la menthe 148
Tartines aux œufs pochés, saumon fumé et beurre de truffe 108

CONDIMENTS ET AUTRES

Popcorn à l'érable et à la fleur de sel 227
Relish aux poivrons rouges 212

{crédits photos}

RECETTES
Studio Michel Paquet

COUVERTURE
Studio Michel Paquet (tartare, potage)

© iStockphoto.com/Benjamin Goode (vignoble)

© iStockphoto.com/Tomo Jesenicnik (fromages)

© Tourisme Laurentide (coucher de soleil)

INTRODUCTION
© iStockphoto.com/Kemal Baş (mains et pâte)

© iStockphoto.com/Alistair Cotton (main et persil)

© iStockphoto.com/Roger Lim (chefs)

© iStockphoto.com/Kkgas (tomates)

© iStockphoto.com/Peter Zelei (route et ciel)

ABITIBI-TÉMISCAMINGUE
© Tourisme Abitibi-Témiscamingue/Hugo Lacroix (kayak, petit garçon)

© Tourisme Abitibi-Témiscamingue (érables)

© iStockphoto.com/Wolfgang Amri (petits fruits)

© iStockphoto.com/foodandwinephotography (confitures)

© iStockphoto.com/Monika Adamczyk (chocolats)

© iStockphoto.com/Sherwin McGehee (gelée de pommettes)

© iStockphoto.com/Jill Chen (fondue)

© iStockphoto.com/Plainview (eau)

© iStockphoto.com/Rusudan Mchedlishvili (casseaux de petits fruits)

BAS-SAINT-LAURENT ET CÔTE-NORD
© Tourisme Bas-Saint-Laurent (toutes les photos, sauf crédits ci-dessous)

© Tourisme Bas-Saint-Laurent/Fromagerie Le Mouton blanc (La Tomme de Kamouraska)

© iStockphoto.com/Patrik Zachrisson (chicoutai)

© iStockphoto.com/Magda Smith (prunes)

© iStockphoto.com/Donald Gruener (saucisson, vin)

© iStockphoto.com/Nick White (salicorne)

CANTONS-DE-L'EST
© Paul Laramée (Abbaye de Saint-Benoît-du-Lac)

© iStockphoto.com/Adrian Assalve (pomme)

© iStockphoto.com/Grafissimo (abeilles)

© fromagesduquebec.qc.ca (La Tomme des Joyeux Fromagers)

© Tourisme Cantons-de-l'Est/Chapelle Sainte-Agnès, Sutton (vignes)

© Tourisme Cantons-de-l'Est/Bleu Lavande, Fitch Bay (lavande)

© Tourisme Cantons-de-l'Est/Michèle Foreman (Fromagerie des Cantons de Farnham)

© Tourisme Cantons-de-l'Est/Stéphane Lemire (Abbaye de Saint-Benoît-du-Lac, vaches)

CENTRE-DU-QUÉBEC
© Tourisme Centre-du-Québec/Festival de l'érable (intérieur cabane à sucre)

© Tourisme Centre-du-Québec/mgphotographe.com (cheval et carriole, cabane à sucre, enfant et tire d'érable, champ de canneberges)

© Tourisme Centre-du-Québec/Sébastien Gingras (canneberges dans la main)

© Tourisme Centre-du-Québec/Festival des fromages de Warwick (sculpture de fromage)

© Tourisme Bois-Francs (main et fromage)

© Tourisme Centre-du-Québec/Ferme des Hautes Terres (Ferme des Hautes Terres)

© Tourisme Centre-du-Québec/Michel Julien (bœuf)

© iStockphoto.com/Sergey Dubrovskiy (feuille d'érable)

© iStockphoto.com/Tomo Jesenicnik (fromages)

© fromagesduquebec.qc.ca (fromage Bleu d'Élizabeth)

CHARLEVOIX
© Tourisme Charlevoix/Anne Gordon (paysage p. 67)

© Tourisme Charlevoix (canards de la Ferme Basque)

© Tourisme Charlevoix/Bertrand Lemeunier (Maison d'affinage Maurice Dufour, femme et oie)

© Tourisme Charlevoix/Pierre Rochette (paysage, p. 69)

© iStockphoto.com/Vaida Petreikiene (veau)

© iStockphoto.com/Tim Burrett (émeu)

© iStockphoto.com/Eric Gevaert (agneaux)

CHAUDIÈRE-APPALACHES
© Tourisme Chaudière-Appalaches (paysage, p. 83)

© Tourisme Chaudière-Appalaches/Philippe Caron (cyclistes)

© Tourisme Chaudière-Appalaches/Office d'initiative économique de Montmagny (oies dans l'eau)

© Tourisme Chaudière-Appalaches/Michel Julien (maison et bateau)

© Tourisme Chaudière-Appalaches/Clément Labrecque (cerfs)

© Tourisme Chaudière-Appalaches/Le Ricaneux (alcool)

© Tourisme Chaudière-Appalaches/Ferme Cassis et Mélisse (chèvres)

© Tourisme Chaudière-Appalaches/Office du tourisme de la Côte-du-Sud (envolée d'oies)

© iStockphoto.com/Monique Rodriguez (bison)

© iStockphoto.com/Sergey Chushkin (argousier)

GASPÉSIE
© Tourisme Gaspésie (toutes les photos, sauf crédits ci-dessous)

© iStockphoto.com/brytta (yak)

© iStockphoto.com/Thomas Arbour (fraises)

© iStockphoto.com/Jiri Bursik (bière)

GRAND MONTRÉAL

© Studio Michel Paquet (ville, fleurs, Marché Jean-Talon, Petite Italie, tables)

© iStockphoto.com/Paul-André Belle-Isle (feux d'artifice)

© iStockphoto.com/Webphotographeer (verres de vin)

© iStockphoto.com/Daniel Loiselle (smoked meat)

© iStockphoto.com/Wouter Tolenaars (tulipes)

© iStockphoto.com/Floortje (bagel)

© iStockphoto.com/Crisma (fraises)

© Maude Chauvin (chef Giovanni Apollo)

© mathieulevesque.com (chef Patrice Demers)

GRAND QUÉBEC

© iStockphoto.com/Tony Tremblay (Château Frontenac)

© iStockphoto.com/Jeff Morse (île d'Orléans)

© iStockphoto.com/Carmen Martínez Banús (vignoble)

© iStockphoto.com/elzeva (cassis)

© iStockphoto.com/Thomas Arbour (fraises)

© iStockphoto.com/FotografiaBasica (gelée de légumes)

© iStockphoto.com/Lena Andersson (fromages)

© iStockphoto.com/George Clerk (canard)

© Marc Lalumière, Ockam (chef Jean-François Houde)

ÎLES-DE-LA-MADELEINE

© iStockphoto.com/Martine Lavoie (plage)

© iStockphoto.com/Marie-France Cloutier (paysage)

© iStockphoto.com/Pierre Chouinard (maison jaune, cages à homards)

© iStockphoto.com/Denis Jr. Tangney (rochers, troupeau de vaches)

© iStockphoto.com/Maurice van der Velden (petits fruits)

© iStockphoto.com/Yvan Dubé (bières)

LANAUDIÈRE

© Tourisme Lanaudière/Christian Rouleau (ferme et balles de foin, petite fille)

© Tourisme Lanaudière/Guy Hamelin (dîner champêtre)

© Tourisme Lanaudière/Maryline Lafrenière (Domaine de l'île Ronde)

© Tourisme Lanaudière/Audrey Rivest (oies)

© iStockphoto.com/Joan Vicent Cantó Roig (huile d'olive)

© iStockphoto.com/Guillermo García (prosciutto)

© iStockphoto.com/Plainview (bière)

LAURENTIDES

© Tourisme Laurentides (toutes les photos, sauf crédits ci-dessous)

© fromagesduquebec.qc.ca (fromage Le Rassembleu)

© iStockphoto.com/zorani (échinacées)

© Zabelphoto (chef François Daoust)

MAURICIE

© Tourisme Mauricie (toutes les photos, sauf crédits ci-dessous)

© Tourisme Mauricie/Michel Julien (petite fille et fromage, terrasse)

© iStockphoto.com/Anatolii Tsekhmister (cochons)

© iStockphoto.com/Stepan Popov (sarrasin)

© Michel Julien/Le Baluchon (chef Patrick Gérôme)

MONTÉRÉGIE

© Tourisme Montérégie/graphestudio.com (toutes les photos, sauf crédits ci-dessous)

© Tourisme Montérégie/Claude Parent-Pierre Lambert (vue aérienne)

© iStockphoto.com/Adrian Assalve (sureau)

© iStockphoto.com/mrmessy2 (poire)

© iStockphoto.com/Rey Rojo (tournesol)

© Alexandre et Nicolas Gouin (chef Sophie Morneau)

OUTAOUAIS

© Christian Voilemont (rivière des Outaouais)

© Jessica Lambert (Vignoble du Clos Bailli, Potager Eardley : citrouilles)

© Benedikt Kuhn, CLD Pontiac (Rocher à l'oiseau)

© Les Brasseurs du Temps Inc. (Brasseurs du Temps)

© Ranch d'Amérique (Ranch d'Amérique : sangliers)

© Potager Eardley (Potager Eardley : enfants)

© iStockphoto.com/Jason Lugo (chevreuil)

© iStockphoto.com/MBPhoto (chocolat)

SAGUENAY–LAC-SAINT-JEAN

© Tourisme Saguenay–Lac-Saint-Jean/Yves Ouellet (coucher de soleil p. 229)

© Tourisme Saguenay–Lac-Saint-Jean/Charles-David Robitaille (coucher de soleil p. 230 et vue aérienne)

© iStockphoto.com/Robert Stone (bleuets)

© iStockphoto.com/Redmonkey8 (fromage)

© iStockphoto.com/Tomo Jesenicnik (hydromel au bleuet)

© iStockphoto.com/Daniel Mitchell (bière)

© iStockphoto.com/Jill Chen (liqueur de framboise)

© iStockphoto.com/Xyno (agneau)

DERNIÈRES PAGES

© iStockphoto.com/FotografiaBasica (légumes dans bols)

© Studio Michel Paquet (maïs, miel, pintade rôtie, fleurs, kiosque à légumes)

© iStockphoto.com/S.P. Rayner (enfant et assiette)

© iStockphoto.com/Rachel Dewis (rouleau à pâte)

© iStockphoto.com/Michele Principalli (petite fille)

Direction de la production
Marylène Leblanc-Langlois

Coordination et rédaction
Lynne Faubert, 10

Conception graphique
Marie-Josée Forest

Infographie
Diane Marquette

Révision
Jocelyne Tétreault

Correction
Edith Sans Cartier

Photographie des recettes
Studio Michel Paquet

Stylisme culinaire
Noah Witenoff

Stylisme accessoires
Mychèle Painchaud

Impression
Transcontinental Interglobe

Imprimé au Canada

Dépôt légal – Bibliothèque et Archives nationales du Québec,
3e trimestre 2010
Bibliothèque et Archives Canada

Nous reconnaissons l'aide financière du gouvernement
du Canada par l'entremise du Fonds du livre du Canada
pour nos activités d'édition.
Nous remercions également la SODEC de son appui financier
(programmes Aide à l'édition et Aide à la promotion).

ASSOCIATION NATIONALE DES ÉDITEURS DE LIVRES

Les Éditions Transcontinental
sont membres de l'Association nationale
des éditeurs de livres.

Les Éditions Transcontinental
1100, boul. René-Lévesque Ouest, 24e étage
Montréal (Québec) H3B 4X9
Téléphone : 514 392-9000 ou 1 800 361-5479

Pour connaître nos autres titres, consultez **www.livres.transcontinental.ca**
Pour bénéficier de nos tarifs spéciaux s'appliquant aux bibliothèques
d'entreprise ou aux achats en gros, informez-vous au **1 866 800-2500**.

Catalogage avant publication de Bibliothèque et Archives nationales du Québec et Bibliothèque et Archives Canada
Vedette principale au titre :
À la bonne franquette :
80 chefs québécois dévoilent leurs recettes simples de tous les jours
Comprend un index.
ISBN 978-2-89472-474-3
1. Cuisine québécoise.
2. Cuisine rapide.
3. Produits du terroir - Québec (Province).

TX715.6.A32 2010 641.59714 C2010-941625-2

Merci !

Un beau livre de cuisine se mijote à plusieurs, chacun y ajoutant ingrédients et touche personnelle. Merci à la Société des chefs cuisiniers et pâtissiers du Québec, et tout particulièrement à M. Denis Paquin. Nous sommes aussi très reconnaissants aux associations touristiques de partout au Québec, qui ont généreusement collaboré à la présentation de leur coin de pays. Merci également à Mme Clarah Germain pour ses recommandations éclairées. Enfin, pour leurs conseils avisés, permettez qu'on lève notre toque à M. Martin Boucher, à Mme Michèle Foreman, à M. Jean-Paul Grappe et à M. Yannick Ouellet, de grands professionnels passionnés du terroir québécois.